Grote verwachtingen

www.boekerij.nl

Kasey Edwards

Grote verwachtingen

Dit boek verscheen eerder onder de titel *Dertig en nu...*

Eerste druk 2009
Tweede druk 2010

ISBN 978-90-225-5593-4
NUR 320

Oorspronkelijke titel: *30-Something and Over It*
Oorspronkelijke uitgever: Mainstream Publishing, Edinburgh, UK
Vertaling: Mireille Vroege
Omslagontwerp: Studio Jan de Boer
Zetwerk: MatZet, Soest

‘Als je alles hebt waarvan je altijd zeker wist dat je het wilde hebben, zou je denken dat het “en ze leefden nog lang en gelukkig” verder een eitje is. Maar dan is het natuurlijk hoog tijd om weer eens diep na te denken.’

Susan Maushart, *What Women Want Next*

Inleiding

Hoe ik mijn betrokkenheid kwijtraakte en weer terugvond

Heb je ooit meegemaakt dat je wakker werd en je realiseerde dat je geen zin had om naar je werk te gaan?

Ik bedoel niet dat je de avond ervoor enorm was doorgezakt en wilde uitslapen, of dat je een saaie dag vol vergaderingen voor de boeg had, terwijl je er echt niet aan moest dénken dat je die moest uitzitten, of dat je gewoon liever met je hond naar het strand zou gaan. Ik heb het ook niet over lichte ontevredenheid. Nee, ik bedoel dat het afgelopen is, echt afgelopen en uit, finito.

Ik weet niet hoe het gebeurd is. Ik heb het niet zien aankomen, maar ik wilde bijna van de ene dag op de andere niet meer naar mijn werk – niet alleen die ene dag, maar gewoon helemaal niet meer.

Dat was een shock voor me. Ik was altijd zo'n ambitieuze streber geweest die altijd iets te bewijzen had. De afgelopen tien jaar had ik slaafs de bedrijfsladder beklommen en elke sport van die ladder geweldig gevonden. Ik had alle visitekaartjes van elke baan die ik ooit gehad had bewaard, als de scalpels van mijn veroveringen, en op mijn laatste kaartje stond de functie 'senior consultant verandermanagement'. Ik realiseerde me nu pas dat de ladder, die ik zo graag had willen beklimmen, helemaal nergens naartoe leidde, alleen verder van de plek af waar ik begonnen was.

Ik had alles wat ik altijd gewild had: een succesvolle carrière en de manier van leven en het geld die daarbij hoorden. Maar van het ene moment op het andere vond ik mijn baan helemaal niet meer zo uitdagend of aantrekkelijk. De rol van de machtige zakenvrouw voelde nu onecht en onoprecht. Mijn hele manier van leven was zijn vitaliteit kwijt. Ik had mijn gezond verstand opgegeven om elke ochtend uit bed te komen, en ik had het gevoel dat ik daarmee ook een deel van mezelf was kwijtgeraakt.

Dit is wel zo'n beetje het juiste moment om mij ervan te beschuldigen dat ik een zielig rijk meisje was. Wat had ik in 's hemelsnaam te klagen? Ik was dertiger, hoogopgeleid, ik kwam uit de middenklasse en was blank, zo ongeveer een garantie om alles te kunnen bereiken wat ik maar wilde. Oké, ik was een vrouw, en maar iets meer dan een meter zestig, maar verder lagen de kaarten zeer gunstig voor mij geschud.

Ik weet dat deze dertigerscrisis niet meetelt als je die afzet tegen het oplossen van de honger in de wereld en het vinden van een geneesmiddel voor kanker vinden. Ik weet ook wel dat het een luxe is dat ik zelfs maar over de vraag 'put ik voldoening uit mijn werk?' kan nadenken, terwijl de meeste mensen op de wereld al blij mogen zijn als ze zich in leven kunnen houden met hun werk. Maar ook al had ik het gevoel dat ik onredelijk en verwend was, ik werd doodsbang bij de gedachte dat ik de komende dertig jaar in een toestand van eentonigheid zou moeten doorwerken.

Ik wilde erachter zien te komen waarom ik mijn betrokkenheid was kwijtgeraakt en wat ik kon doen om die weer terug te vinden. Ik las boeken, sprak met deskundigen, praatte met mensen zoals ik en met mensen die helemaal niet zo waren als ik, en ik liefhebberde wat met een heel scala aan escapistisch en verstoord gedrag. Tot mijn verbazing en enorme troost realiseerde ik me dat ik niet de enige was. Ik stond te kijken van het aantal hoogopgeleide, verstandige en getalenteerde mensen dat me vertelde dat ze hun ambitie en gevoel van betekenis op hun werk waren kwijtgeraakt en die in zichzelf aan het spitten waren geslagen op zoek naar de redenen daarvoor.

Gaandeweg realiseerde ik me dat alles in mijn leven waarvan ik had gedacht dat het moeilijk zou zijn – zoals in een bedrijf opklimmen, lange uren maken, mijn opleiding afronden – eigenlijk relatief gemakkelijk was. Het moeilijke was juist om uit de tredmolen te stappen en eens eerlijk naar mezelf en mijn leven te kijken en mezelf af te vragen wie ik was en wat ik eigenlijk wilde.

Ik kwam erachter dat het helemaal niet erg was dat ik mijn betrokkenheid bij mijn werk kwijt was en dat ik me er ook niet voor hoefde te schamen. Dat ik dertiger was, was in werkelijkheid de volgende sport op de ladder van het leven die ik moest beklimmen en veroveren.

Dit is mijn verhaal over hoe het is om een dertiger te zijn. Ik ben geen deskundige en ik beschik al helemaal niet over alle antwoorden. Maar als je dertiger bent en je merkt dat je je afvraagt waar dit allemaal over gaat, dan hoop ik dat je je door dit boek in elk geval zult realiseren dat andere mensen net zo in de knel zitten als jij.

1

Curry, bondage en een boek

‘Volgens mij moet jij eens flink afgeranseld worden,’ zei mijn broer Michael terwijl hij curry opschepte.

Ik zat in een gezellig Indiaas restaurantje met de drie mensen die mij het dierbaarst waren. Michael grijnsde ondeugend, mijn beste vriendin Emma schoot in de lach en mijn vriend Chris verslikte zich in zijn wijn.

Ik was helemaal niet verbaasd of beledigd dat mijn grote broer me adviseerde om eens te proberen of bondage wat voor me was – of voor Chris. Ik had al jong geleerd dat ik alles wat Michael zei met een korreltje zout moest nemen. Ik weet nog goed dat hij me een koe liet zien in *Sesamstraat* die gemolken werd, toen ik een jaar of vijf was. Met alle wijsheid en wereldse gezag van een kind van zeven vertelde hij me dat de melk uit de pik van de koe kwam. Pas toen ik Baileys ontdekte, begon ik weer zuivelproducten tot me te nemen.

Ik zie Michael niet zo vaak. Hij zwerft zonder vast adres over de aardkloot rond, dus elke keer dat we in dezelfde stad zijn verheug ik me op zijn verfrissende en bizarre kijk op wat er op dat moment ook maar in mijn leven gaande is.

Emma en ik zaten Michael en Chris net te vertellen dat we ons allebei, bijna tegelijkertijd, hadden gerealiseerd dat we niet meer naar ons werk wilden. Emma is cool. Ze heeft een ironisch gevoel voor humor en een waanzinnig gevoel voor stijl. Ze is ook een van de meest gevraagde marketingdeskundigen in de stad.

We hadden een paar dagen daarvoor afgesproken om samen koffie te drinken en toen had ze me opgebiecht dat ze het helemaal gehad had met haar werk. Haar ontevredenheid was ongeveer een halfjaar daarvoor begonnen, dus had ze ontslag genomen als marketingmanager bij een farmaceutisch bedrijf en een nieuwe baan gevonden bij een voedingsproducent. Toen ze vier maanden met haar nieuwe baan bezig was, realiseerde ze zich dat niet aan haar werk lag. Het lag aan haar.

'Je moet eens flink afgeranseld worden,' zei Michael terwijl hij een papadum pakte, 'omdat je eens een heel ander leven moet meemaken dan het leven dat voor je uitgestippeld is.'

Hij zei dat zowel Emma als ik ons hele leven precies had gedaan wat van ons werd verwacht. We waren heel goed presterende 'brave meisjes' en daar hadden we nu schoon genoeg van. We waren op het punt aangekomen waarop we ons eigen leven moesten gaan leiden, en niet het leven dat andere mensen voor ons hadden bedacht. Blijkbaar zou een afranseling ons buiten onze comfortzone brengen en ons dwingen om vrijgevochten en avontuurlijk te zijn.

Ik moest toegeven dat daar wat in zat. Je kon van mijn leven moeilijk zeggen dat het vrijgevochten of avontuurlijk was. Ik had wel impulsieve dingen gedaan, zoals zomaar naar Nederland verhuizen, maar uiteindelijk had ik er een fantastische baan gekregen bij een multinational die het erg goed deed op mijn cv. Ik had indertijd wel het gevoel gehad dat ik risico's nam, maar dat was niet echt zo geweest. Ik had al die tijd geweten dat ik, als het niks werd, gewoon weer naar huis kon gaan.

Wat ik tot op heden had bereikt was eigenlijk een soort erfenis geweest. Door mijn familie en milieu was mijn levenspad bepaald. Ik heb bedrijfscommunicatie gestudeerd. Ik kreeg een baan in de pr, ben doorgeschoven naar een betere baan in on-linecommunicatie, daarna naar een nog betere baan in verandermanagement. Ik heb ondertussen mijn master in verandermanagement gehaald en werk me nu omhoog in de gelederen van de managementconsultancy. Ik heb natuurlijk hard gewerkt om dit allemaal te bereiken en het pad was soms hobbelig en ging steil omhoog, maar hoe zwaar het ook was, er lag altijd een van tevoren uitgestippeld pad voor me. Ik heb altijd gedaan wat er van me werd verwacht: wat mijn ouders wilden, wat mijn docenten wilden, wat mijn bazen wilden. En de maatschappij steunde dit pad en versterkte daarmee mijn volgzaamheid. Elke keer dat ik een nieuwe mijlpaal bereikte en passeerde, werd ik geprezen en beloond.

Al die tijd ben ik te druk bezig geweest mijn prestaties af te vinken en het pad verder te bewandelen en had ik geen tijd gehad om stil te blijven staan en me af te vragen of ik dit pad eigenlijk wel wilde volgen. Ik heb het gevoel dat mijn erfenis als een soort doodvonnis voor me staat en dat een stemmetje binnen in mij me uitdaagt om de gebaande wegen te verlaten– dat me uitdaagt om me te laten afranselen.

'Kijk, Kase, het zit zo,' ging Michael verder. 'Je kunt alles al afstrepen. Je hebt alles bereikt wat je wilde bereiken. Je hebt jezelf bewezen en nu weet je niet wat je hierna moet doen. Je moet nu je eigen koers uitstippelen.'

Michael wist wel het een en ander over je eigen koers uitstippelen. Hij is een van die jaloersmakende mensen die overal heel goed in zijn: wiskunde, talen, sport, kunst. Toen we jong waren, leerde hij een encyclopedie uit zijn hoofd, louter en alleen omdat hij dat kon. En daar komt nog eens bij dat hij echt heel grappig is. Aan zo'n getalenteerd persoon zou je eigenlijk een hekel willen hebben, maar hij is ook nog eens ontzettend aardig. Vreselijk vind ik dat.

Je zou denken dat hij had kunnen worden wat hij maar wilde. Maar nee, dat was voor hem niet het geval: hij had maar één pad in het leven, en dat pad was de muziek. Toen hij zichzelf geleerd had keyboard te spelen en de muziek van reclameboodschappen die hij op de televisie had gehoord begon na te spelen, realiseerden mijn ouders zich dat hij talent had. Als volwassene is hij muziek voor reclameboodschappen gaan componeren. Nu schrijft hij muziek voor films en voor andere artiesten, en gaat hij met hen op tournee.

Michael heeft me een keer verteld dat muziek niet was wat hij deed, maar wat hij wás. Je zou zijn levenspad gemakkelijk kunnen romantiseren, maar het is zwaar en soms ook heel eenzaam voor hem geweest. Ik ben getuige geweest van de tien jaar dat hij armoede heeft geleden, zich opofferingen heeft getroost en maatschappelijk afkeuren heeft moeten verduren voordat hij er redelijk zijn brood mee kon verdienen. Ik had het nooit uitgehouden op een dieet van witte bonen in tomatensaus met toast, en dan heb ik het nog niet over de mensen die hem telkens weer vroegen wanneer hij nou eens ophield met die onzin en een 'echte baan' ging zoeken.

Hij speelde een keer met het idee om zich aan de maatschappij aan te passen en een 'echte baan' te zoeken. We namen samen de vacatures in de krant door en kwamen tot de ontdekking dat er niet veel vraag was naar iemand die afgestudeerd was in muziek, filosofie en theologie, en wiens enige praktische werkervaring uit muziek schrijven en uitvoeren bestond. Het was een pijnlijk besef voor Michael dat het, zelfs al zou hij een echte baan willen, nog een hele klus zou worden om er een te vinden. Onze moeder had een keer hoopvol geopperd dat hij misschien bij de plaatselijke supermarkt kon gaan helpen de winkelwagentjes te verzamelen.

Ik heb mezelf altijd als een streber beschouwd, maar terwijl ik zo naar Michaels advies zat te luisteren begon ik me toch af te vragen of ik soms achterliep op het gebied van emotionele en persoonlijke ontwikkeling. Hoe kon het nou dat ik al dertiger was en mezelf nooit de cruciale vragen had gesteld als 'waar word ik gelukkig van' en 'wat wil ik met mijn leven doen'? Ik had me nooit afgevraagd of het pad dat ik bewandelde wel het juiste voor me was; ik concentreerde me er alleen maar op hoe ik zo snel mogelijk zo ver mogelijk op kon klimmen. Nu vraag ik me onwillekeurig toch af of ik mezelf deze crisis had kunnen besparen als ik als late tiener of begin-twintiger zelfbewuster was geweest of meer Jean-Paul Sartre had gelezen, of een andere angstige intellectueel. Als ik indertijd zelfbewuster was geweest en het lef had gehad om mijn eigen pad te kiezen, had ik de pijn dan al achter de rug gehad of had dat helemaal geen verschil gemaakt?

Het enge is dat ik niet weet waar ik gelukkig van word. Ik heb geen idee wat ik met mijn leven aan moet, en ook al wist ik het wel, dan zou ik het me waarschijnlijk niet kunnen permitteren. Ik heb namelijk een hypotheek.

'Doen wat je leuk vindt hoeft echt niet gelijk te staan aan armoe lijden,' zei Emma. 'We moeten iets vinden wat we leuk vinden om te doen en waar je ook je rekeningen van kunt betalen.'

Dit lijkt me een mooi moment om jullie aan Chris voor te stellen. Behalve dat Chris een waanzinnig leuk vriendje is, is hij een springlevend voorbeeld van iemand die zijn betrokkenheid is kwijtgeraakt en zijn passie heeft gevonden – en er nog geld mee verdient ook.

Chris heeft via een datingsite op internet contact met me gezocht. Ik heb op hem gereageerd omdat hij aan al mijn criteria voor een partner leek te voldoen: de juiste politieke voorkeur, hoogopgeleid, hield van lezen en huisdieren, rookte niet en had geen kinderen. En hij blijkt nog aan een hele zwik andere criteria te voldoen waarvan ik niet eens wist dat ik ze had.

We hebben elkaar voor het eerst in levenden lijve ontmoet op de dag dat hij ophield met zijn werk als wetenschappelijk medewerker aan een universiteit. Hij had zijn hele leven gewerkt om wetenschappelijk medewerker te worden. Hij had namelijk altijd gedacht dat hij dat wilde zijn. Maar toen hij het eenmaal was, realiseerde hij zich dat hij er geen voldoening uit putte. Hij had het gevoel dat hij stikte door het gebrek aan autonomie en de onderdrukkende cultuur, dus besloot hij ermee te stoppen en twee dagen per week voor een bedrijf te gaan werken als redacteur, voor een basisinkomen, en drie dagen per week als freelanceschrijver. Hij schrijft nu opiniestukken en artikelen voor kranten en tijdschriften en heeft de tijd van zijn leven.

Het is fantastisch om hem als freelancer steeds sterker te zien worden. Hij krijgt veel energie van zijn werk en vindt de vrijheid en autonomie die hij nu heeft echt heerlijk. Hij doet het zo goed dat redacteuren hem nu al vragen om voor hen te schrijven, en daar komt nog eens bij dat hij nu meer verdient dan toen hij wetenschappelijk medewerker was.

'Misschien moet je eens wat onderzoek naar je crisis doen,' zei Chris. 'Misschien heb je daar wat aan om de boel op een rijtje te krijgen.'

Emma was het met hem eens. 'We moeten iets doen,' zei ze.

'Weet je, hier zou je een goed boek over kunnen schrijven,' zei ik.

'Je kunt ook een afranseling proberen,' hield Michael vol. 'Dan voelt je hele lichaam als het topje van je penis.'

2

De grap gaat over mij

Zodra ik onderkend had dat ik niet meer naar mijn werk wilde kon ik het bijna niet meer opbrengen om toch elke dag te gaan.

Elke ochtend was het verlangen om in bed te blijven zo sterk dat ik het gevoel had dat ik echt lichamelijk werd tegengehouden, alsof een groot elastiek me in bed hield. Elke keer dat ik probeerde op te staan trok het me terug naar het kussen. Op de ochtenden dat Chris erin slaagde me vroeg uit bed te krijgen om met hem naar de sportschool te gaan, dook ik bij thuiskomst weer in bed of kroop ik lekker op de bank met mijn hond Toffee, om vandaar naar een ochtendprogramma op de televisie te kijken. Als ik er net aan toe was om van de bank af te komen en naar de badkamer te gaan, werd ik overspoeld door een onweerstaanbare behoefte om ook het volgende gedeelte van het programma te bekijken. Ik móést gewoonweg weten hoe je de perfecte vanillecustard maakte of ik wilde per se zien hoe de zoveelste beroemdheid zich een weeskind uit Afrika aanschafte. Op sommige dagen was het nodig om tot het eind van het programma te blijven kijken, zodat ik de uitslag kon zien van de kijkersenquête of het al dan niet aanvaardbaar is om in het openbaar borstvoeding te geven.

In de goede oude tijd kwam ik altijd om kwart over acht op

mijn werk. Tegenwoordig liet ik zo rond kwart over acht pas mijn bad vollopen. En om het allemaal nog erger te maken kwam ik de deur niet uit als ik niet mijn thee op had en mijn muesli had gegeten.

Mijn begintijd verschoof naar negen uur, toen naar kwart over negen, en bereikte zijn hoogtepunt rond tien over half-tien, waar hij bleef hangen. Zodra ik op mijn werk was haalde ik koffie voor mezelf en ging ik even een praatje maken met Frank, de barista, waarna ik rond een uur of tien achter mijn bureau plaatsnam en de banensites begon af te struinen.

Verschuivende begintijden zijn een duidelijk teken van gebrek aan betrokkenheid bij de werknemer. Als ik ooit manager word, moet ik dat goed onthouden. Maar voorlopig glimlachte ik alleen maar sluw als ik samen met mensen in de lift stond die ook te laat binnenkwamen, louter om hun te laten weten dat ik hun geheimpje kende.

De lunch begon vroeg en strekte zich uit tot in de middag. De dagen waarop ik snel even iets haalde en dat achter mijn bureau opat waren voorbij. Het hoogtepunt van mijn dag bestond eruit dat ik in de lunchpauze naar de dierenwinkel ging. Daar ging ik elke dag naar de jonge hondjes kijken. Het begon als een leuke en troostende afleiding, lekker naar die bolletjes wol kijken die in hun kooi rollebolden en naar voorbijgangers blaften alsof ze hun vroegen hen mee te nemen. Maar toen begon ik me aan ze te hechten. Ik gaf ze naampjes en begon me zorgen te maken of de hondjes die alleen in hun kooi zaten niet vereenzaamden. Waarom willen dierenwinkels honden naar gelang hun ras per se van elkaar scheiden? Waarom kunnen ze niet allemaal bij elkaar in dezelfde kooi spelen? Het brak mijn hart om te zien hoe de vier Maltezer leeuwtjes, die ik naar *De Vijf* van Enid Blyton Julian, Dick, Anne en George had genoemd, gezellig met elkaar in hun kooi aan het spelen waren en dat Timmy, de eenzame poedel, helemaal in z'n eentje in een kooi zat.

Om Timmy maakte ik me echt zorgen. Ik ging elke dag bij hem langs en zag hem groter en groter worden. De weken gingen voorbij en alle Maltezertjes waren verkocht en in hun kooi zaten nu dwergkeesjes, maar Timmy was er nog. Wat gebeurt er met puppy's die niet verkocht worden? Timmy begon al de afmetingen te krijgen die bij zijn veel te grote poten en oren hoorden. Zou iemand hem nog wel willen als hij niet meer zo schattig en onhandig puppyachtig was? De vrouw van de dierenwinkel verzekerde me dat alle honden altijd verkocht werden. Ze zei dat als een hond in de ene winkel niet verkocht werd, hij naar een andere winkel werd overgeplaatst en daar dan uiteindelijk een baasje vond. Dat stelde me wel gerust, maar als het waar was waren puppy's het enige product ter wereld waarvan het aanbod nooit de vraag overtrof. Ik weet zeker dat ik wel in een economisch boek over dit fenomeen gelezen zou hebben als het een universele wet betrof.

Ik merkte dat ik tijdens vergaderingen alleen maar aan Timmy zat te denken. Meestal als ik me tijdens een vergadering verveel ga ik aan seks denken (vrouwen verschillen niet zo erg van mannen), maar mijn 'moederinstinct' overvleugelde alle andere instincten. Ik overtuigde mezelf ervan dat er maar één optie was, en die luidde dat ik Timmy zelf moest kopen. Het zou natuurlijk wel een beetje vol worden in mijn minuscule driekamerappartement, en Toffee, mijn elf jaar oude poedel zou wel even tijd nodig hebben om aan een puppy om zich heen te wennen, maar het zou beslist goed voor haar zijn om overdag wat gezelschap te hebben. Toffee voelt zich vast eenzaam, want ik maak heel lange dagen. Oké, tegenwoordig maak ik niet meer zulke lange dagen, maar dat kan wel weer gaan gebeuren. Het vermogen van de mens om bijna alles te rationaliseren is echt verbazingwekkend – dat geldt trouwens ook voor ons vermogen om dingen te vergeten. Freud zegt dat vergeten een bewuste keuze is; daar zit misschien wel wat in, want op de een of andere manier was ik vergeten om mijn aanschaf met Chris te bespreken.

De volgende dag ging ik naar de dierenwinkel en was Timmy weg. Ik dacht meteen het ergste en raakte in paniek. Was Timmy te groot geworden en in alle stilte naar de 'andere dierenwinkel' gebracht? Toen de vrouw van de winkel (dezelfde die me had verteld over de verbazingwekkende relatie tussen vraag en aanbod bij puppy's) zag dat ik van streek was, kwam ze naar me toe om te vertellen dat Timmy (die een meisje bleek te zijn) de dag ervoor 's middags was verkocht. Ze zag dat ik opgelucht was en kneep in mijn arm. Ze krijgen vast voortdurend mensen zoals ik in de winkel. Ik was echt ontzettend opgelucht dat Timmy nog leefde. Ik was ook opgelucht dat mij een stommiteit bespaard werd: twee honden in een piepklein appartement is echt heel dom. Maar waar de ene zorg eindigde, begon een nieuwe: nu zat er een kleine beagle moederziel alleen in de kooi waarin Timmy had gezeten.

Afgezien van mijn aanwezigheid ging er nog iets aanzienlijk achteruit, en dat was mijn houding. Mijn werk interesseerde me gewoon niet meer. Ik zat bij vergaderingen waar mensen zich vreselijk opwonden, en in plaats van me op de inhoud van de discussie te concentreren, dacht ik alleen maar: god, wat stellen die lui zich aan.

Hoewel ik vroeger net zo gedreven kon zijn en me druk kon maken over vertragingen in de planning van een project of als we een streefdatum gemist hadden, kon ik nu met geen mogelijkheid wat voor emotionele reactie dan ook oproepen. Hoe kon ik me in godsnaam druk maken over de kunstmatige deadlines van een project? Wat deed het ertoe of je een paar arbitraire data miste die iemand een halfjaar geleden op een bord had geschreven? De enige consequentie was dat we het later zouden moeten doen en aangezien de meesten van ons waarschijnlijk wel tot ons vijfenzestigste zouden werken, hadden we daar alle tijd voor.

Ik had het gevoel alsof ik plotseling De Grap doorhad, de grap die al mijn naïeve, onnozele collega's niet begrepen: de grap die ervoor zorgde dat mensen tot middernacht op kantoor bleven en de verjaardag van hun partner en het schooltoneelstuk van hun kinderen misten. Ik was erachter gekomen dat alle stress en inspanning die we in ons werk staken geen enkele betekenis hadden. Het grootste deel van de tijd deed het er niet toe of dingen afkwamen of niet, en het deed er al helemaal niet toe of ze door mij of iemand anders gedaan werden. Om David Brent uit *The Office* te citeren: 'Je moet nooit vandaag iets doen wat morgen onder de verantwoordelijkheid van iemand anders valt.'

Ik besloot dat de wereld in twee groepen mensen onder te verdelen was: mensen die het wel iets kon schelen en mensen die het niets kon schelen. Dat ik daarachter was gekomen maakte dat ik me zelfingenomen en superieur begon te voelen. Mijn zelfingenomenheid was van korte duur.

Ik realiseerde me al snel dat er een relatie bestond tussen je er wel voor interesseren en voldoening uit je werk putten. Al die mensen die ik nu als onnozele kantoormannen en –vrouwen beschouwde, leken oneindig veel meer plezier in hun werk te hebben dan ik. Het maakte hun wel degelijk uit wat ze elke dag op hun werk deden en als zij dingen voor elkaar kregen putten ze daar voldoening uit. Zo voelde ik me vroeger ook, in die goeie ouwe tijd. Nu voelde ik me alleen maar ongemotiveerd. Zou het kunnen zijn dat die grap eigenlijk over mij ging? Als je elke dag op je werk moet verschijnen kun je het maar beter leuk vinden ook.

Mijn gebrek aan motivatie ging over in wrok. Voor het eerst in mijn carrière was ik me er scherp van bewust dat ik alleen maar voor het geld werkte. Idioot eigenlijk dat ik er meer dan tien jaar voor nodig heb gehad om erachter te komen dat ik moet werken voor geld.

Doordat ik altijd om andere redenen had gewerkt, zoals status verwerven en carrière maken, was het nooit in me opgekomen dat werken ook een financiële noodzaak is. Projecten interesseerden me niet meer, mijn op handen zijnde evaluatiegesprek niet, en mijn volgende promotie ook niet. Eigenlijk interesseerde niets me meer, behalve de puppy's dan. Ik was woedend en gechoqueerd dat ik elke dag weer op mijn werk moest verschijnen en was zo'n beetje de hele dag op internet aan het surfen en aan het jammeren over het feit dat ik daar moest zijn. De enige reden waarom ik überhaupt nog iets deed was zelfbehoud. Ik stelde alles net zo lang uit tot ik echt iets moest doen om geen volkomen incompetente indruk te maken.

U vraagt zich misschien of hoe het me met dit gedrag gelukt is om mijn baan te behouden. Het interessante is dat ik, doordat het me niks meer interesseerde, in bepaalde opzichten beter in mijn werk werd.

Als consultant moet ik vaak vervelend nieuws brengen of moet ik mensen zover krijgen dat ze dingen doen die ze eigenlijk liever niet zouden doen. In de loop der jaren heb ik veel ervaring opgedaan met assertief zijn en heb ik talloze cursussen gevolgd over sociale vaardigheden. Ondanks al die ervaring heb ik bij evaluatiegesprekken herhaaldelijk te horen gekregen dat ik te gedreven en intimiderend overkwam. Dat heb ik altijd heel vreemd gevonden. Hoe kon je gedrevenheid nou negatief vinden? Ik heb mijn gedrevenheid altijd als een van mijn sterke punten beschouwd. Mijn werk ging me aan het hart; daardoor was ik er natuurlijk ook goed in. En wat dat intimiderende betrof: ik zou mezelf in een werksituatie nooit intimiderend gevonden hebben. Ik was vriendelijk en meelevend. Of volledig gestoord. De enige keer dat iemand mij er met recht van had kunnen beschuldigen dat ik intimiderend was, was toen ik aan de nieuwe vriendin van mijn vader werd voorgesteld. Maar dat was anders; ik respecteerde gewoon de eeuwenoude traditie van volwassen dochters die de arme vrouw intimideerden die hun vader als vervanging voor hun moeder had gekozen.

De laatste keer dat een manager tegen me had gezegd dat ik intimiderend was, had ik hem op de man af gevraagd of hij zich ook door mij geïntimideerd voelde. Hij zei: 'Natuurlijk niet, maar de andere accountmanagers wel.' Toen heb ik alle andere accountmanagers gevraagd of ze zich door mij geïntimideerd voelden, en stuk voor stuk antwoordden ze met: 'Natuurlijk niet, maar de andere accountmanagers voelen zich wel door je geïntimideerd.'

Ik wil niet verbitterd overkomen, maar het kwam wel even in me op dat de kritiek misschien niet zo negatief was geweest als ik een man was geweest: sommige mannen bouwen een carrière op op het feit dat ze intimiderend overkomen.

Na die kritiek begon ik mensen die tijdens een vergadering rustig bleven te observeren en te bewonderen. Ze leken heel beheerst, bijna alsof ze niets met de gang van zaken te maken hadden en de situatie van een afstandje bekeken. Ik probeerde hen na te doen, maar dat lukte niet. Het was moeilijk om rustig en emotieloos te zijn, terwijl de resultaten me zo aan het hart gingen. Maar het pluspunt van mijn gebrek aan betrokkenheid was dat niemand me er meer van kon beschuldigen dat ik te gedreven was.

Bij een bepaalde vergadering deed iemand onbeschoft en vijandig en beschuldigde mijn klant en mij ervan dat we zo incompetent waren dat we helemaal niks konden, laat staan het project leiden. Ik liet het allemaal over me heen komen en liep toen systematisch al zijn opmerkingen door. Aan het eind vroeg mijn klant me hoe ik zo kalm en beheerst kon blijven. Hij keek me aan alsof ik Yoda was. Omdat ik zijn illusies niet om zeep wilde helpen, had ik niet de moed om hem te vertellen dat het me gewoon niet genoeg interesseerde om me er druk over te maken. Het is verbazingwekkend hoe kalm je kunt blijven als het je gewoonweg niet interesseert.

Vóór deze tijd had ik gedacht dat de collega's die ik om hun kalmte bewonderde, over een hoger niveau van volwassenheid en wijsheid beschikten dan ik. Ik vraag me nu af of ik ze niet te zeer bewonderde en het hun, net als mij, ook aan hun reet kon roesten.

3

Probleemstad

'Ik wil een verhouding,' kondigde Emma aan.

Het begon allemaal toen ze op een avond met een fles wijn en een sneltreinkaartje naar Probleemstad bij me op de stoep stond. Terwijl ik mezelf met het welzijn van puppy's afleiding had bezorgd, had Emma haar stressvolle, zielloze en geen voldoening schenkende werk bij het farmaceutische bedrijf gecompenseerd door zich onder te dompelen in een wereld van bellen wodka en de verleiding van naakte lichamen.

Dit kwam onverwacht – niet alleen omdat ze zwaar geïnvesteerd had in een vijf jaar durende relatie en een hypotheek met haar vriend, maar ook omdat ze altijd heel moralistisch had gedaan over ontrouw. Vreemdgaan had ze altijd iets onaanvaardbaars gevonden.

'Ik ben een waardeloos mens,' zei ze. 'Ik kan gewoonweg niet geloven dat ik dit zelfs maar in overweging neem.'

Simon, het doelwit van haar verliefdheid, was heel energiek, onvolwassen, onverantwoordelijk, ongeschikt, gestoord, en het tegendeel van haar vriend. En hij was een collega van haar. Dus Emma overwoog niet alleen om haar verbod op overspel te schenden, maar ook om haar verbod op relaties op de werkvloer overboord te zetten. En prestatiegericht als Emma was, nam ze geen genoegen met één geschonden verbod, nee, het moesten er meteen twee zijn.

In het verleden was ze zo op haar imago en geloofwaardigheid op de werkvloer gefocust geweest dat het nooit in haar zou zijn opgekomen om het met een collega te doen. Iedereen weet dat een vrouw haar carrière niet sneller om zeep kan helpen dan door werk te maken van iemand van haar werk. Meestal komt de man als de heldhaftige dekhengst uit het verhaal tevoorschijn en de vrouw als de risee van het kantoor. Kijk maar naar Bill en Monica: Bill kreeg uiteindelijk hogere waarderingscijfers en wat Monica kreeg – god mag het weten.

Hoewel het Monica misschien, net als Emma, ook niks meer kon schelen en ze meer belangstelling had voor een beetje lol dan dat ze per se het mooiste kantoor wilde krijgen.

Die avond werden Emma en ik volwassen en kwamen we tot het inzicht dat het volwassen leven een stuk ingewikkelder was dan we in onze moraliserende jeugdjaren hadden gedacht. Als je twintiger bent is het een koud kunstje om regels te bedenken over dingen als relaties en gedrag op de werkvloer. Maar tegen de tijd dat je dertig bent wordt het een stuk moeilijker om die regels ook in acht te blijven nemen. Dus zei ik tegen Emma dat ik volledig achter haar stond, gaf haar een pakje condooms en eiste van haar dat ze me alles tot in de details zou vertellen.

De volgende dag maakte Emma het uit met haar vriend en begon aan haar tijd als feestbeest – één groot waas van zuipen, de hele nacht doorfeesten en terloopse seks.

Simon voldeed ongeveer twee weken – twee heerlijke weken vol stoeipartijen in vijfsterrenhotels en sieraden in blauwgroene doosjes. Maar toen de eerste opwinding er eenmaal af was, realiseerde ze zich dat het nergens toe leidde en dat ze eigenlijk ook niet wilde dat het ergens toe leidde. Dus ging ze door naar de volgende, en de volgende, en de volgende.

James voldeed een paar maanden, omdat hij volgens Emma 'het perfecte mannenlichaam' had. Ik heb hem alleen met kleren aan gezien, maar zelfs toen moest ik haar eigenlijk al gelijk geven. Hij was een en al spieren, zonder hersenen – precies waar Emma naar op zoek was. Toen ze een keer bij mij in de logeerkamer sliepen, heb ik ze horen neuken, en neem van mij aan: die jongen weet van geen ophouden. Het enige waar Emma spijt van had was dat ze geen naaktfoto's van James had genomen.

Ze belde me op een ochtend toen ze net thuis was uit een café en een tramkaartje in haar zak had gevonden. Daarop stond: FABIAN – BEL ME, 0414...

Ze was die avond met haar nieuwste vrijer uit geweest en was door een stuk of tien mannen aangesproken, dus ze kon zich niet goed herinneren wie die Fabian nou precies was. Het was niet ongebruikelijk dat zo'n groot aantal mannen haar aansprak, zelfs niet naar Emma's normen gemeten – ze schrijft het eraan toe dat ze ontzettend is afgevallen en nu in spijkerbroek maatje 26 past. Terwijl ze me het verhaal vertelde, zag ze dat het een tramkaartje met korting was. 'Dat betekent dat hij óf student is óf 65-plusser,' zei ze. 'Dat kan in beide gevallen niks zijn.'

Maar Emma was niet in de stemming om het erbij te laten zitten, dus belde ze Fabian. Hij vertelde haar met een sexy Zuid-Amerikaans accent dat ze heel mooi was en dat hij vond dat ze een echte klik hadden. Hij nodigde haar uit voor zijn verjaardag. Ze vroeg hoe oud hij dan werd. Negentien, zei hij. Emma vond het geweldig. Haar leven was één grote chaos zonder wat voor richting dan ook, maar ze was wel nog steeds aantrekkelijk voor een puber.

Emma ging niet naar Fabians feestje. Een jongen van negentien ging zelfs haar toch iets te ver, maar ze bewaarde het tramkaartje wel als aandenken.

Er gingen weken voorbij en Emma's 'fase' begon een bewuste keuze te worden. Elke keer dat ik haar sprak had ze een kater of was ze nog dronken van de avond ervoor. Ze was ontzettend afgevallen en zag er bleek, minnetjes en afgepeigerd uit. Toen ik haar vertelde dat ik me zorgen om haar maakte, zei ze dat ik eens moest ophouden met zo conservatief te zijn. Ze gaf toe dat ze zich moe en zwak voelde, maar 'God, wat heb ik het naar mijn zin,' zei ze er meteen achteraan.

Toen ik vroeg waarom ze zo bezig was, zei ze: 'Omdat ik me verveel, Kase. Ik verveel me dood.'

Dat begreep ik wel: ik verveelde me namelijk ook dood.

In *De zin van het bestaan* beschrijft Viktor Frankl verveling als een symptoom van een existentieel vacuüm – een toestand van innerlijke leegte en betekenisloosheid. Hij zegt ook dat die zich uit in het najagen van seksueel genot... Hmm...

Frankl was een joodse psycholoog die in Auschwitz heeft gezeten. Veel inzichten uit zijn boek zijn gebaseerd op zijn ervaringen uit die tijd. Als het niet zijn bedoeling was geweest om de kennis die hij tijdens het kamp had opgedaan op het gewone leven toe te passen had ik nooit zijn leven met het mijne durven vergelijken. Emma en ik waren zonder meer de zin van ons leven uit het oog verloren, maar het was nou ook weer niet zo dat we het gevaar liepen om aan ons existentiële vacuüm ten onder te gaan.

Ons werk nam zo'n groot gedeelte van ons leven in beslag dat we, toen het ons niet meer echt interesseerde – toen het geen betekenis meer had – met een gigantische leegte achterbleven. En met onszelf klopjes op de schouder geven en alle prestaties tot nu toe opsommen konden we die leegte bij lange na niet vullen.

Frankl zegt dat je leven geen betekenis krijgt doordat je iets bezit of iets presteert, maar eerder doordat je naar een waardevol doel streeft en daar je best voor doet. Betekenis ontstaat gaandeweg het proces waarbij je iets voor elkaar probeert te krijgen.

Dit druist in tegen alle newage-zelfhulpboeken die zeggen dat je van het hier en nu moet genieten. Als ik naar mijn 'hier en nu' kijk, valt daar niks op aan te merken. Maar toch heb ik niet de innerlijke vrede en het geluk die ik volgens die boeken wel zou moeten hebben.

Als we terugkijken naar de periode dat we twintiger waren, is meteen duidelijk dat we een stuk gelukkiger waren toen we nog naar ons 'waardevolle doel' streefden – de succesvolle carrière die we nu hebben. Ik denk dat ons leven toen zin had omdat we onze inspanningen er toen op richtten om onszelf te bewijzen en om binnen het bedrijf waar we werkten op te klimmen. Op de middelbare school, op de universiteit en in het begin van onze carrière werkten we naar dat punt toe. Maar nu we het succesniveau hebben bereikt waarmee we onszelf bewijzen, hebben we geen doel meer en vallen we in het vacuüm van de zinloosheid.

Frankl zegt dat iedereen het nodig heeft om naar een waardevol doel te streven en daar zijn best voor te doen – een uit vrije wil gekozen taak. Dus de meest voor hand liggende oplossing was dat ik een nieuw waardevol doel moest zoeken om naar te streven – iets anders dan puppy's uit een dierenwinkel redden of op barkrukken dansen. Het enige probleem was dat iets zinvols vinden helemaal zo eenvoudig nog niet was.

4

Doen alsof

Ondanks mijn haperende aanwezigheid en houding op mijn werk deed ik het naar alle maatstaven gemeten nog steeds goed en waren mensen van me onder de indruk.

In mijn klanttevredenheidsverslag stond dat ik 'de verwachtingen had overtroffen' en dat ik geprezen werd om mijn leidinggevende kwaliteiten en kennis over het onderwerp. Mijn klant liet weten dat hij meer geloof en vertrouwen had in de prestatie van het team sinds ik erbij was gekomen. Ik kreeg ook een grote pluim voor de manier waarop ik aan het team leiding gaf; ik stimuleerde mijn teamleden en gaf hun de kans om te groeien. Ik was altijd slecht geweest in delegeren, wilde altijd extra verantwoordelijkheid en wilde altijd alles zelf doen. Nu deed ik maar wat graag een stapje terug en liet ik mijn team het meeste werk verzetten. Dat ik hierom geprezen werd had ik niet verwacht. Wie had kunnen denken dat ik doordat het me allemaal niet meer kon schelen een kei in delegeren zou worden?

Mijn uitstekende rapport had een totaal ander effect dan je gedacht zou hebben: ik was minder gemotiveerd en verontwaardigder dan ooit.

Ik denk graag dat ik best goed ben in mijn werk en dat ik genoeg kwaliteiten en ervaring heb om in bijna elke situatie stand te houden, maar dat ik geprezen en beloond werd omdat ik bijna niks deed, behalve dan dat ik op vergaderingen verscheen, benadrukte maar weer eens hoe bespottelijk mijn werk was. De beoordeling van mijn klanten en het daarop volgende evaluatiegesprek waren een regelrechte aanfluiting. Ik had geen respect meer voor individuele mensen en voor het hele instituut 'werken', omdat ik ze zo gemakkelijk kon manipuleren.

Dit klinkt kinderachtig, maar ik wilde dat mensen meer van me verwachtten. Ik wilde dat het nodig was dat ik op kantoor mijn hersenen aan het werk zette en niet dat ik met maar doen alsof zo gemakkelijk wegkwam.

Emma deed ook alsof. Ze had eindelijk door dat ze zo goed was in haar werk dat ze best met de helft toe kon. Emma had al jong geleerd dat mensen wel 'alles' vragen, maar dat het vaak al genoeg is als je ze maar 'de helft' geeft. Als haar moeder zei dat ze al bord moest leegeten, omdat ze anders geen toetje kreeg, nam haar moeder er altijd al genoegen mee als ze de helft had gegeten. Pas nu realiseerde Emma zich dat ze haar strategie om haar eten niet helemaal te hoeven opeten ook op haar werk kon toepassen.

Omdat Emma zich met een aspect van het bedrijf bezighields waar andere mensen niet veel over wisten, kon ze excuses verzinnen waarom ze haar werk niet op tijd afhad. Ze weet de vertraging aan juridische kwesties en problemen met leveranciers, en aangezien haar collega's niet beter wisten, schonken ze haar het voordeel van de twijfel.

Soms ging het er niet eens om dat ze dingen te laat afhad, maar deed ze dingen gewoon helemaal niet. Iedereen van het leidinggevende team moest voor het komende jaar een bedrijfsplan presenteren. Emma had een of ander sterk verhaal opgehangen over dat de structuur van het bedrijfsplan niet op haar tak van het bedrijf van toepassing was, dus dat ze het niet kon doen. In plaats van te zeggen dat ze het plaatje dan maar moest aanpassen, prezen mensen haar omdat ze innovatief was en een diepgaande kennis van haar vak had.

Aan het begin van het jaar moest ze de criteria indienen op grond waarvan haar bonus berekend zou worden. Van dat indienen was het nooit gekomen, dus toen het zover was dat haar bonus betaald moest worden, stelde ze de criteria met terugwerkende kracht op, met inbegrip van de paar dingen die ze wel voor elkaar gekregen had. Toen Emma me vertelde dat ze haar volledige bonus had gekregen, vergoelijkte ze dit met: 'Als het systeem me de kans geeft om het te manipuleren, zal ik het niet nalaten.' Om er vervolgens aan toe te voegen: 'Of vind je dat asociaal van me?'

Ik geloof echt dat de meeste mensen met wie ik ooit heb gewerkt maar hebben gedaan alsof. En dat geldt niet alleen voor de hoeveelheid tijd en inspanning die ze ergens in steken, nee, mensen neppen je ook met hun kwaliteiten en vaardigheden. Toen ik jong was, ging ik er nog heel naïef van uit dat managers en de leiders van een organisatie heel bekwaam waren. Ik ging ervan uit dat ze dankzij hun kwaliteiten zo hoog op de ladder gestegen waren. Zelfs als bepaalde beslissingen en gedragingen dom of slecht onderbouwd leken, gaf ik ze nog het voordeel van de twijfel en dacht ik dat ik gewoon niet genoeg ervaring en inzicht had om het te begrijpen. De afgelopen paar jaar heb ik heel veel voorbeelden gezien van dingen waarvan ik aanvankelijk dacht dat ze mijn begrip te boven gingen, maar die uiteindelijk om niets anders dan incompetentie bleken te gaan. Ik kan niet uitleggen hoe teleurstellend en ontmoedigend het was om me te realiseren dat de mensen die mij leiding gaven helemaal niet beter wisten waar ze mee bezig waren dan ikzelf. In sommige gevallen wisten ze het zelfs minder goed dan ik. Ik weet dat het lijkt alsof ik een heel cynisch wereldbeeld heb en alsof het niet eerlijk is om zulke lage verwachtingen van mijn collega's te hebben, maar ik vind dat ze me echt alle reden gegeven hebben om er zo over te denken.

Ik had bijvoorbeeld een keer een manager die mij vroeg of ik wat langzamer wilde denken. Hij zei dat het hem een rotgevoel gaf als hij dagenlang over een probleem had lopen nadenken en ik dan de kamer binnenkwam en hem binnen een paar minuten antwoord gaf. Dus vroeg hij of ik daarmee wilde ophouden. Het was een aardige man die zijn leidinggevende positie leek te hebben bereikt door gewoon twintig jaar lang te weigeren plaats te maken voor iemand anders. Iedereen om hen heen was vertrokken, met pensioen gegaan of overleden, dus bij gebrek aan beter had hij de leiding gekregen. Ik zag met lede ogen toe hoe hij louter en alleen door onbekwaamheid miljoenen dollars over de balk gooide of maanden werk ongedaan maakte. Sommige mensen zijn beter in doen alsof dan anderen.

Toen ik net in de consultancy begonnen was, nam een coach me apart en vertelde me het geheim voor succes. Hij zei: 'Schat, in deze branche geldt gewoon: *fake it until you make it*.' Dat was een goed advies, en al helemaal toen ik de opdracht kreeg om de rol van accountant te vervullen en ik investeringsvoorstellen ter waarde van miljoenen dollars moest beoordelen. Ik had niet alleen nooit accountancy gestudeerd, ik had op school zelfs alleen simpele wiskunde gevolgd. Mijn wiskundige vaardigheden reikten niet verder dan dat ik in de kerstuitverkoop kon uitrekenen hoeveel korting ik ergens op kreeg. Toen ik bij het consultancybedrijf werd aangenomen, was ik zelfs voor het onderdeel wiskunde van het toelatingsexamen gezakt. De personeelsmanager belde me op en zei tot mijn grote gêne: 'Ik heb dit nog nooit eerder gedaan, maar laten we zeggen dat ik je wiskunde-examen ben kwijtgeraakt.' Het onderdeel taal en problemen oplossen had ik namelijk zo goed gemaakt dat hij besloot me nog een kans in wiskunde te geven. Hij zei ook: 'Denk je dat je je er misschien een tijdje in zou kunnen verdiepen?'

Ik legde mijn accountdirector, die me ervan probeerde te overtuigen dat ik gerust net mocht doen alsof ik accountant was, uit dat ik allergisch was voor cijfers, maar hij zei dat er verder niemand beschikbaar was en dat hij het echt heel erg op prijs zou stellen 'als ik me buiten mijn comfortzone zou begeven'. Dit was geheimtaal voor 'als je het doet zorg ik dat je een fikse bonus krijgt', dus las ik in het weekend *Boekhouden voor Dummies* en verscheen ik op maandag ten burele van mijn klant en stelde mezelf aan iedereen voor als de nieuwe accountant. Het kwam in niemand op om daar vraagtekens bij te zetten, dus nam ik plaats achter mijn bureau, sleep mijn potlood en ging aan de slag. De eerste maand vond ik deze oefening in toneelspelen wel leuk, omdat ik heel snel bijleerde en druk bezig was mijn onbekwaamheid te verhullen. Ik overtrof de verwachtingen beslist niet, maar ik wist me aardig te redden (hoewel het jaren duurt voordat de negatieve resultaten van slechte investeringen aan het licht komen, dus dit kan ik beslist niet met absolute zekerheid stellen), en na een tijdje werd het routine en gewoon werk: saai dus.

Het is mij zonneklaar dat ik met meer plezier werk als ik word uitgedaagd en mijn best moet doen. Toen ik mezelf nog probeerde te bewijzen en alle dingen probeerde te bereiken waarvan ik dacht dat ik ze altijd al gewild had, was ik een stuk gelukkiger. Ik put er meer plezier en voldoening uit als ik iets probeer te bereiken dan wanneer ik al iets bereikt heb. Maar ik leerde allang niet meer op mijn werk en ik streefde ook nergens meer naar; het grootste deel van de tijd kon ik mijn verstand gewoon thuis laten – niemand die het merkte. Elke klant waar ik naartoe ging was natuurlijk net even anders of had een geheel eigen probleem, maar na de eerste paar weken van een project werd het altijd gewoon weer routine.

Misschien was dat wel het antwoord op mijn dertigerscrisis. Misschien moest ik gewoon een baan zien te vinden die uitdagender was. Ik besloot te solliciteren op een baan bij een strategisch consultancybedrijf. Dit soort organisaties zijn de 'denkers' in plaats van de 'doeners' van de consultancywereld. Als je ooit een reorganisatie hebt meegemaakt, zijn dit de mannen die met het plan kwamen en die het vervolgens aan iemand anders overlieten om de ellende te implementeren. Ze gaan er prat op dat ze innovatief denken en problemen oplossen. Ze gaan er ook prat op dat ze hun consultants zich kapot laten werken. Ik dacht dat ik de bespottelijk lange werkdagen misschien kon verdragen als ik in ruil daarvoor werd uitgedaagd.

Strategische consultancybedrijven staan erom bekend dat het moeilijk is er binnen te komen. Iedereen die ik ken die voor zulke bedrijven gewerkt heeft was in intellectueel opzicht geniaal (en een beetje excentriek, nu ik er eens goed over nadenk).

Ter voorbereiding van het sollicitatiegesprek kocht ik een boek over hoe je een case-sollicitatiegesprek moest voeren. Bij zo'n gesprek geven ze je een echt probleem en dat moet je dan ter plekke oplossen. Dat varieert van hoeveel golfballen er in een Boeing 747 passen (ik méén het) tot hoe je ervoor kunt zorgen dat een multinational meer winst maakt. Ik had me heel goed voorbereid. Ik had waarschijnlijk twintig praktijkoefeningen gedaan en opnieuw geleerd hoe je breuken moest vermenigvuldigen en hoe je snelheid en kansen moest berekenen.

Twee intelligente en indrukwekkende vrouwen voerden het sollicitatiegesprek met me. Ze wisten de organisatie uitstekend aan me te verkopen en spraken alle magische woorden uit, zoals problemen oplossen, intellectuele uitdaging en persoonlijke groei. Het leek me echt een baan die uitdagend voor me zou zijn en dat vond ik een spannend vooruitzicht. Eén deel van het gesprek vond ik echter lichtelijk alarmerend. Een van de dames vertelde dat het bedrijf het evenwicht tussen werk en privéleven erg belangrijk vond en om dat te illustreren vertelde ze me over hun mobiele arbeidskrachten, waarmee ze bedoelde dat mensen vaak op tijd van kantoor vertrokken om thuis met hun partner en kinderen te kunnen eten en dat ze dan 's avonds van huis uit verder konden werken in plaats van op kantoor te moeten blijven. Joehoe!

Ik deed twee case-gesprekken en aan het eind kreeg ik te horen dat ik tot dezelfde conclusies was gekomen als zij toen ze voor de desbetreffende klanten hadden gewerkt. Dus ik had na dat gesprek een vrij goed gevoel. Ik ging ervan uit dat ik wel voor de tweede ronde gevraagd zou worden. Maar nee hoor.

Karen, een van de vrouwen die het sollicitatiegesprek met me hadden gevoerd, belde me op om het slechte nieuws mee te delen. Ze vertelde dat ik duidelijk een uitstekend zakelijk inzicht en beoordelingsvermogen had en dat ik ook beslist het soort persoon was dat zij normaal gesproken aannemen, alleen had ik de case-gesprekken niet erg goed gedaan. Mijn manier van denken was niet systematisch en geordend genoeg. Ze probeerde de klap wat te verzachten door te zeggen dat case-gesprekken voeren echt iets is wat je onder de knie moet krijgen en dat ik gewoon meer moest oefenen. Ik zei er maar niet bij dat ik er in de aanloop naar het gesprek al twintig had gedaan. Aangezien ze zei dat ik wel de capaciteiten had om door het case-gesprek te komen als ik maar meer ervaring had, vroeg ik of ik nog een keer mocht solliciteren als ik mijn case-techniek wat beter onder de knie had. Ze zei nee, dus ik ging er maar van uit dat ze me toch niet zo capabel vond als ze aanvankelijk had beweerd.

Ik was behoorlijk teleurgesteld, deels vanwege de afwijzing, maar nog meer door het feit dat ik nu nog steeds niet wist wat ik met mijn leven aan moest. Als ik voor dit bedrijf had kunnen werken had ik erachter kunnen komen of leren en intellectuele uitdagingen aangaan nu wel of niet de sleutels waren tot een voldoening schenkende baan. Ik liep er een paar weken over te piekeren en besloot toen dat ik Karen gewoon maar eens moest bellen en haar moest vragen of zíj voldoening putte uit dit soort werk.

Karen was tweeëndertig, was als pas afgestudeerde bij het bedrijf komen werken en was daarna als een speer opgeklommen. Het was wel duidelijk dat dit voor haar niet zomaar werk was; het was haar manier van leven. 'Ik voel een enorme commitment voor [het bedrijf],' zei ze. 'Ik ben loyaal aan het bdrijf, omdat ik hier mijn carrière ben begonnen en ze goed voor me zorgen.' Ze zei dat de organisatie 'met zijn tentakels' in alle aspecten van haar leven was doorgedrongen en dat ze een hechte band met haar collega's had ontwikkeld, ten gevolge van de hoge druk waaronder ze werkten en de lange dagen die ze maakten.

Ik vroeg haar of ze het gevoel had dat ze door de lange werktijden de beste jaren van haar leven verspilde, maar ze zei: 'Nee. Want wat zou ik anders moeten doen?'

Het jaar daarvoor had Karen wel een paar keer over haar carrière getwijfeld en overwogen om een gezin te stichten. 'Ik verveelde me indertijd een beetje op mijn werk en ik zocht gewoon een reden om ontslag te nemen, dus ben ik over kinderen gaan nadenken.' Maar een collega had haar apart genomen en haar ervan overtuigd dat ontslag willen nemen geen goede reden is om kinderen te krijgen. Karen was opgelucht dat ze indertijd 'aan het moederschap was ontsnapt' en dat ze het nu weer leuk had op haar werk.

'Opzeggen leek me toen een goed idee, maar er valt nog zo veel meer te beleven en mijn werk stelt me daartoe in staat,' zei Karen.

Ze wil in de toekomst wel kinderen krijgen, maar ze beschouwt het moederschap toch als een compromis. 'Als ik kinderen heb moet ik stoppen met werken. En ik wil niet zo'n vrouw zijn die niet meer terugkomt.'

'Als je stopt met werken, wat word je dan? Moeder? En verder?' zei ze. 'Ik ben altijd een carrièrevrouw geweest die interessante dingen doet en interessante mensen ontmoet. Ik kan me niet voorstellen dat ik iemand anders word.'

Ik schrok ervan dat Karen zo'n lage dunk had van het moederschap en ik was er ook wel kwaad over. Daardoor realiseerde ik me dat ik de afgelopen maanden enorm veranderd was. Ik schaam me dat ik het moet toegeven, maar een jaar geleden was ik het volkomen met Karen eens geweest over het moederschap: baan kwijt, identiteit kwijt en verraad aan het zusterschap der vrouwen. Wat heeft het voor zin om al die fantastische kansen in het leven te krijgen als je die vervolgens verkwanselt door 'alleen maar' moeder te zijn? Ik dacht altijd dat een kinderwagen het symbool was van gebrek aan ambitie en status en van een deprimerende toekomst.

Ik weet niet of mijn biologische klok nu harder tikt of dat ik doordat mijn werk me niet meer interesseert een wat ruimer blikveld heb gekregen, maar tegenwoordig beschouw ik het moederschap als een nobel en eervol beroep. Ik weet niet zeker of ik er zelf al aan toe ben, maar ik kan me niets voorstellen wat belangrijker en betekenisvoller is dan de volgende generatie opvoeden en klaarstomen voor de maatschappij.

Ik heb vriendinnen die een gezin willen stichten en die doodsbang worden bij de gedachte dat ze een tijdje geen eigen inkomen hebben. Deels omdat ze niet afhankelijk willen zijn van hun partner, maar deels ook omdat ze bang zijn dat ze dan niet aan de relatie 'bijdragen'. Het lijkt wel alsof hun definitie van 'bijdragen' uitsluitend van financiële aard is. Ze vinden blijkbaar dat de tijd, liefde en geduld die zij in het grootbrengen van een kind steken, geen bijdrage is aan de relatie. We zijn gaan geloven dat bezigheden waarmee je geen geld verdient geen waarde hebben, maar volgens mij zijn we hard aan een nieuwe maatstaf toe.

In *Affluenza* oppert Oliver James dat de ontwaarding van de status van moeder en onze overtuiging dat je alleen aan betaald werk eigenwaarde kunt ontlenen, er de belangrijkste redenen voor zijn dat vrouwen twee keer zoveel risico lopen om een depressie te krijgen als mannen. Het is eigenlijk tragisch als je bedenkt dat wij als samenleving meer waarde hechten aan onze bijdrage aan de economie dan aan onze bijdrage aan de samenleving. Hoe zijn we zo gestoord geraakt?

Karen had overwogen met een andere baan een bijdrage aan de samenleving te leveren. 'Bij tragische gebeurtenissen in de wereld denk ik wel eens: wat doe ik eraan? Niets. Maar na verloop van tijd ga ik toch weer helemaal op in mijn eigen leven.'

Haar zus werkt voor een organisatie die zich inzet voor het recht op abortus, dus Karen heeft het gevoel dat ze genoeg goedbedoelende mensen om zich heen heeft om de betekenisloosheid op te vullen. Ze heeft ook uit eigen ervaring meegemaakt dat je niet per se gelukkig wordt als je zinvol werk doet. 'Ik heb gezien wat voor frustraties het mijn zus oplevert als ze met bureaucratie te maken krijgt en dingen voor elkaar probeert te krijgen. En ik weet ook dat ze graag bij een commercieel bedrijf zou willen werken, zodat ze wat meer verdient.'

In tegenstelling tot mij heeft Karen nog steeds dingen die ze in haar carrière wil bereiken; ze heeft nog carrièredoelen die ze moet halen: ze streeft ernaar om partner te worden. In de consultancy zijn partners de mensen die de dienst uitmaken en de zeiljachten bezitten. 'Het is een enorme uitdaging,' zei ze. 'Ik vind het fijn om uitgedaagd te worden.' Ze omschreef haar jacht op het partnerschap met te zeggen dat ze geen partner hoefde te worden om zichzelf te bewijzen. Nee, ze had alleen behoefte aan de uitdaging waar dat mee gepaard ging.

Vroeger dacht ik net zo over mijn werk als Karen. Ik weet nog goed dat ik, toen ik begin twintig was, zei dat ik geen baan wilde, maar een carrière. Ik was op zoek naar die alles opslorpende baan waaraan ik mijn identiteit kon ontlenen, die mij status zou geven en waar ik in contact zou komen met gelijkgezinden. De paar keer in mijn carrière dat ik dat heb meegemaakt waren heel gelukkige tijden.

Ik vroeg aan Karen of ze gelukkig was en zonder een moment te aarzelen zei ze: 'Ja.'

Ik benijdde haar oprecht om haar enthousiasme en gedrevenheid voor haar werk. Het was zonneklaar dat zij er veel meer voldoening uithaalde dan ik. Maar toen ik naar haar luisterde, was het alsof ik mijn oude ik hoorde praten – de Kasey van een jaar geleden was net zo op succes binnen het bedrijf uit geweest en had net zo neerbuigend gedaan over het belang van het moederschap. Een jaar geleden had ook ik mijn identiteit en eigenwaarde in verband gebracht met mijn carrière en inkomen.

Ik geef het niet graag toe, deels omdat ik Karen echt aardig vond, en deels omdat ik niet verbitterd wil overkomen over het feit dat ik door haar bedrijf ben afgewezen, maar ik verliet ons gesprek met een gevoel van superioriteit. Ik voelde me superieur omdat ik inmiddels het inzicht en de moed had om vraagtekens te zetten bij mijn werk en bij de functie daarvan in mijn leven; ik nam er geen genoegen meer mee om blindelings het leven te leiden dat voor mij uitgestippeld was. Ik vroeg me af of Karen wel zo gelukkig zou zijn als ze wat meer inzicht in zichzelf had en als ze echt nadacht over waar ze mee bezig was en waarom. Wat zelfinzicht betreft hink ik altijd op twee gedachten. Aan de ene kant vind ik dat het zwaar wordt overschat – ik was in elk geval een stuk gelukkiger toen ik wat minder nadacht – maar tegelijkertijd vind ik dat we onze mogelijkheden beperken als we niet over dingen willen nadenken omdat ze moeilijk en pijnlijk zijn. Ik beschouw inzicht in jezelf ook een beetje als een verzekeringspolis: iets wat ervoor zorgt dat ik me niet op mijn tachtigste moet gaan zitten afvragen waar het allemaal toe gediend heeft.

Toen ik afscheid van Karen nam, kreeg het gemene, competitieve kreng in mij even de overhand en dacht ik: voor iemand die zo slim is denkt ze wel erg weinig na.

6

Wat is jouw kindje?

Ik had een lunchafspraak met Godfrey gemaakt in de hoop dat hij een paar wijze woorden voor me had. Godfrey was maar een paar jaar ouder dan ik, maar ik vond hem altijd heel wijs – alsof hij uit een paar levens aan ervaring kon putten.

Hij was ook op en top een heer – bijna net alsof hij zo uit een roman van Jane Austen gewandeld kwam. Als je ooit je vertrouwen in mannen dreigde kwijt te raken maakte Godfrey dat zo weer goed. Toen hij me over zijn eerste ontmoeting met zijn vrouw vertelde, smolt ik ter plekke. 'Voel je vooral niet beledigd,' zei hij, 'maar toen zij de kamer binnenkwam, dacht ik meteen: dit is de mooiste vrouw die ik ooit gezien heb.' Hoe kon ik me daar nu beledigd door voelen?

Ik heb Godfrey goed leren kennen – of misschien moet ik zeggen dat hij míj goed heeft leren kennen – een keer 's avonds op een zakenreis toen ik een paar glazen gin te veel ophad. Hij vroeg hoe het met me ging en tja, dat vertelde ik hem toen maar.

De tranen sprongen me in de ogen en ik begon te bibberen. Godfrey luisterde geduldig terwijl ik mijn hart uitstortte over dat mijn vader net mijn moeder in de steek had gelaten en nu een nieuw leven had waarin geen plek voor mij was; dat mijn vriendje net naar het regenwoud van de Amazone was verhuisd, zonder plannen om terug te komen; en dat mijn moeder net had geprobeerd zichzelf te verhangen met het telefoonsnoer in het appartement dat ik onlangs gekocht had.

Achteraf gezien was dit waarschijnlijk een beetje te veel informatie om aan een collega te vertellen. Toen hij me vroeg hoe het met me ging, had ik gewoon 'goed, dank je' moeten zeggen.

Godfrey was een held. Hij legde zijn arm om me heen, een beetje zoals een grote broer, en zei dat alles goed zou komen. Hij zei dat ik naar een psycholoog moest gaan, maar waarschuwde me dat dat wel eens de meest confronterende en moeilijke ervaring van mijn leven kon worden. Hij verzekerde me dat het de moeite waard zou zijn, omdat op een dag de zon weer zou gaan schijnen, en feller dan ik ooit voor mogelijk had gehouden. Hij had in beide opzichten gelijk.

Die therapie was een verschrikking. Ik weet niet meer hoeveel dagen ik ontroostbaar op de bank heb liggen huilen en hoeveel nachten ik de pijn heb verdoofd met een maaltijd van gin en roomijs in bad. Maar precies zoals Godfrey had voorspeld, gingen de grijze wolken op een dag uiteen en trad ik in het zonlicht. Daarna ben ik nooit meer dezelfde geweest. Ik had het gevoel dat er een nieuwe en betere ik was en dat ik alles aankon – zelfs de dertigerscrisis.

Ik hoopte dat Godfrey me net zo'n diepgaand en ingrijpend advies zou geven als de keer daarvoor.

'Je bent toe aan een kindje,' zei hij.

Ik keek hem ongelovig aan. Ik herinnerde me nog als de dag van gisteren dat hij had verkondigd dat zijn vrouw noch hij kinderen wilde – en ook al was mijn standpunt ten aanzien van het moederschap veranderd, ik wist toch niet zeker of ik zelf wel moeder wilde worden. 'Het hoeft geen echte te zijn,' verduidelijkte hij, 'het mag ook een symbolisch kindje zijn.'

Hij zei dat ik iets moest vinden waar ik de komende twintig jaar in kon investeren en wat ik groot wilde zien worden – iets waar ik mijn geld en tijd aan kon besteden. Ik had iets nodig om mezelf aan te wijden, om mezelf betekenis te geven. Daar had je dat woord alweer!

'Maar ik weet niet wát mij betekenis zal geven,' zei ik.

'Ik wel. Dat is zo klaar als een klontje,' zei hij. 'Schrijven. Ik heb gezien hoe je gaat stralen als je het over schrijven hebt. Daar hou je van, dat is je passie.'

Ik hou van schrijven. Ik heb ideeën voor verhalen en onafgemaakte manuscripten in opbergdozen liggen en op mijn harde schijf opgeslagen. Ik heb een keer op luchthavens en in vliegtuigen een volledige roman geschreven terwijl ik voor mijn werk op reis was. Toen ik klein was, wilde ik schrijfster worden – tenminste, als Wonder Woman of elfje niet lukte. Op een gegeven moment wilde ik speechschrijver van de secretaris-generaal van de Verenigde Naties worden. Ik heb zelfs Bono een keer een brief gestuurd om hem te vragen of hij met mij naar het eindbal op de middelbare school wilde gaan, omdat ik met hem over zijn songteksten wilde praten. Hij zei nee. Ik weet nog dat ik niet kon geloven dat hij nee had gezegd.

Mijn eerste baan was iets in de pr, waarbij ik artikelen voor een bedrijfsblad en allerlei andere dingen moest schrijven. Ik vond het geweldig. Ik kreeg er een enorme kick van om mijn werk in druk te zien. Maar ik werkte nog geen twee minuten in de pr of ik zag al kans om aan IT-projecten te beginnen. Ik hield mezelf toen voor dat ik nieuwe uitdagingen zocht, maar als ik nou echt eerlijk ben, moet ik toegeven dat het me niet om de uitdaging ging, maar om het geld. Ik stelde succes gelijk aan geld en sprong van de ene baan naar de andere, met steeds hogere salarissen.

Sindsdien heb ik genoeg zelfhulpboeken gelezen om te weten dat geld niet gelijkstaat aan geluk. Susan Maushart zegt in haar uitstekende boek *What Women Want Next* dat de link tussen inkomen en geluk bijna lachwekkend zwak is. Ze verwijst naar een onderzoek waarin gekeken werd of mensen met een yuppieachtige levensstijl gelukkiger waren. Het onderzoek toonde aan dat mensen die een hoog inkomen, succes en aanzien in hun werk belangrijker vonden dan goede vrienden en een goed huwelijk, zichzelf twee keer zo vaak als ongelukkig bestempelden.

Als ik naar het leven kijk dat Chris leidt, ben ik jaloers en trots tegelijk. Ik vind het leuk om te lezen wat hij geschreven heeft – het is zo intelligent en goed geformuleerd, dat vind ik echt geweldig. Dingen die goed geschreven zijn, geilen me op. En als híj de schrijver is vind ik het ontzettend sexy, maar de gedachte dat ik zelf met schrijven mijn brood zou moeten verdienen vind ik doodeng. Ik heb de afgelopen tien jaar een ander pad gevolgd en het einddoel mag me dan niet aanstaan, ik geloof toch niet dat ik weer terug wil naar het eerste honk en helemaal opnieuw wil beginnen. Bovendien weet ik zeker dat ik me het ook niet zou kunnen permitteren om naar mijn eerste honk te gaan.

Ik weet dat alle boeken over consuminderen, over de grote ommekeer, of over je droom waarmaken zeggen dat de keuze voor deze manier van leven niet gelijk hoeft te staan aan armoede. Het schijnt mogelijk te zijn om te doen wat je leuk vindt en er nog betaald voor te krijgen ook. Ik beschouw mezelf graag als een tamelijk vindingrijk persoon, maar ik kon me niet voorstellen dat ik ander werk zou vinden – of ik dat nu leuk vond om te doen of niet – dat net zo goed zou betalen als wat ik nu verdiende. Zelfs als ik mijn eigen bedrijf begon, een imperium opbouwde en stinkend rijk werd, zou het toch nog jaren duren voordat er geld binnenkwam. Wat de boeken en

Emma en Michael ook mochten beweren, de realist in mij wist best dat een verandering van leven mijn inkomen drastisch omlaag zou brengen.

En ik had elke cent net hard nodig. Ik was blut.

6

Twee salarissen van mijn faillissement verwijderd

Mijn financiële situatie was bedroevend. Zelfs met het zes cijfers tellende jaarsalaris van een consultant was ik letterlijk twee maandsalarissen van mijn faillissement verwijderd.

In het tweede jaar dat ik werkte verdiende ik net zoveel als mijn moeder, die onderwijzeres was. In mijn vierde jaar verdiende ik meer dan mijn ouders samen. Mijn vader was conrector op een school. Mensen brachten hele gezinnen groot op wat ik als bonus kreeg, maar toch gaf ik elke cent die ik verdiende uit, en meer. Ik had een gigantische schuld op mijn creditcard en geen cent spaargeld.

Hoe kon dat? Hoe was ik in 's hemelsnaam in financieel opzicht zo onverantwoordelijk geworden? Wat ik normaal en redelijk vond was in de loop der tijd wat verschoven. Toen ik net werkte, ging ik alleen bij speciale gelegenheden uit eten, en zelfs dan bestelde ik het goedkoopste wat er op de kaart stond en dronk ik alleen water. Ik vond het altijd vreselijk als de rekening gezamenlijk werd betaald en het erop neerkwam dat ik voor de wijn van iemand anders moest betalen.

Nu eet ik voortdurend buiten de deur. Het is niet ongebruikelijk dat ik op een dag alle drie de maaltijden buiten de deur gebruik. En ik ben er op een gegeven moment mee opgehouden om de prijzen op de kaart te bekijken. Ik bestelde gewoon waar ik zin in had en in plaats van water te drinken, dronk ik cocktails. Emma en ik gaan elk jaar samen met vakantie naar een tropisch oord en dan stellen we ons tot doel om alle cocktails op de kaart een keer te proberen. Het was nog niet eerder in me opgekomen dat dit nogal extravagant was.

Vroeger kwam het nooit in me op om een taxi te nemen. Ik ging gewoon met het openbaar vervoer en als ik de laatste metro naar huis miste, ging ik lopen. Nu ging ik met de auto en betaalde parkeergeld, en als ik langer dan tien minuten op een tram moest wachten, nam ik een taxi. Dan hield ik mezelf voor dat mijn tijd kostbaarder was dan de ritprijs van de taxi. In een grijs verleden heb ik wel eens staplaatsen voor de opera gekocht, of glipte ik halverwege voor niks naar binnen; nu zit ik altijd op de eerste rang. Ik was in de val getrapt en gaf geld uit dat ik niet had, aan dingen die ik niet nodig had, om een leegte te vullen die niet te vullen viel.

In haar boek *I Could Do Anything, If Only I Knew What It Was*, noemt Barbara Sher mensen zoals ik 'fast-trackers', dat wil zeggen carrièremensen die veel verdienen en veel status hebben en er vanbuiten succesvol uitzien, maar vanbinnen doodongelukkig zijn. Fast-trackers zoals ik gedragen zich bovendien financieel onverantwoordelijk. We kopen mooie dingen zoals auto's, kleren, huizen, meubels en vakanties als troostprijs voor ons lege leven – speeltjes waarmee we het gigantische deel van ons leven proberen te compenseren dat we voor onze carrière hebben opgegeven. Ik vond het wel enigszins troostend dat ik dus niet de enige was die zo leefde.

Mijn grootste uitspatting zijn boeken. Ik kan geen boekwinkel voorbij lopen zonder er naar binnen te gaan en er een paar te kopen. Ik heb meer boeken dan tijd om ze te lezen. En mijn schoenenverzameling is ook niet mis. Ik was zo'n wezenloze, materialistische yup geworden, aan wie ik toen ik nog studeerde een bloedhekel had. Maar ik was in goed gezelschap: mijn vrienden waren precies zo. Ik ben eens een keer met een vriendin wezen winkelen die in een opwelling drie lingeriesetjes kocht, voor het vorstelijke bedrag van 4000 dollar. Ik zweer dat de hele transactie nog geen kwartier geduurd heeft. Goed, de setjes waren van kant, met de hand met kraaltjes geborduurd en supersexy, maar dat kwam toch neer op 266 dollar per minuut. Niet slecht. In die tijd kwam het niet eens in me op dat het gestoord was.

Voor zijn boek *What Should I Do With My Life* interviewde Po Bronson een paar mensen die heel goed betaald werk deden waar ze een hekel aan hadden om geld te sparen, zodat ze hun droom werkelijkheid konden laten worden. Bronson zei dat hij nergens uit kon opmaken dat die plannen ooit zouden worden uitgevoerd. Het lijkt erop dat mensen nooit op het punt komen waarop ze zichzelf rijk genoeg vinden om er gewoon mee te stoppen. En dat hun droom ook niet meer was dan dat: een droom.

Ik heb een vriendin die een extreem voorbeeld is van waar Bronson het over heeft. Jessica ontmoette in een vliegtuig een keer een miljardair. Het was een ongebruikelijk situatie, in die zin dat zij naar de businessclass was verplaatst (ze reisde altijd gewoon economy) en dat hij geen plaats in de eersteklas had kunnen krijgen en dus beneden zijn stand in de business zat. Toen ze net iets met elkaar kregen, wist ze niet wie hij was. Toen ze er een paar weken later mee instemde om hem in Azië te komen opzoeken, realiseerde ze zich dat hij niet zomaar iemand was. Het privévliegtuig waarmee hij haar liet ophalen gaf de doorslag. Hij bleek multimiljardair te zijn en grote belangen in de media- en energie-industrie te hebben.

Hun verhouding verliep op de bekende manier met ontbijtjes in Londen, lunches in het privévliegtuig en etentjes in New York. Na een paar maanden verhuisde ze naar Azië om bij hem te gaan wonen. Het sprookje pakte anders uit.

Dat hij zulke lange dagen maakte kon ze wel aan, en ook dat ze maar heel beperkt tijd met elkaar doorbrachten, maar toen hij niet op de begrafenis van haar vader kon zijn en niet naar huis kon voor Kerstmis omdat hij het te druk had met zaken doen, ging het mis. Hij verzekerde haar dat zijn bespottelijke werktijden maar van tijdelijke aard waren en dat hij, als hij genoeg geld had verdiend, zou stoppen met werken en dat ze samen een heerlijk leventje zouden leiden. Ze vroeg hem hoeveel geld eigenlijk 'genoeg' was. Toen hij daar geen antwoord op kon geven, ging ze bij hem weg.

Bronson zegt dat mensen die een ingrijpende carrièreswitch maken om hun hart te volgen, dat gewoon gedaan hebben, of ze het zich nu konden veroorloven of niet. Op die manier leeft mijn broer Michael ook. Als je Michaels leven op een stukje papier zou proberen uit te stippelen of als je zijn inkomen zwart op wit ziet, zou je het nooit doen. Toch doet hij het zijn hele leven al. Het is net de hommel – hij vliegt toch wel. Maar ook al wist ik dat ik het waarschijnlijk nooit zou doen als ik wachtte tot ik helemaal zeker van mijn zaak was voordat ik een verandering aanging, toch was ik ervan overtuigd dat het waarschijnlijk een stuk leuker was om mijn dromen te volgen – wat die ook mochten zijn – als ik niet failliet was. Ik moest mijn financiën op orde zien te krijgen.

Het eerste wat ik deed was een budget opstellen. Ik had nog nooit eerder een persoonlijk budget gehad. Ik had op mijn werk voor projecten budgetten van miljoenen dollars beheerd, maar het was nog nooit in me opgekomen dat ik er voor mezelf ook een moest opstellen.

Ik schreef alles op wat ik in een maand uitgaf en dat bracht meteen mijn extravagante uitgaven en 'snelle besparingen' in kaart. Ik stapte over op een goedkopere zorgverzekeringspolis en een goedkoper internet- en telefoonabonnement. Ik nam geen taxi's meer en at vaker thuis, en ik voedde mijn boekenverslaving met boeken uit de bibliotheek. Er bleek er twee straten verderop een te zitten. Ongelooflijk wat je allemaal niet ziet als je niet oplet.

Dat ik de bibliotheek ontdekte, enkel en alleen doordat mijn perspectief was veranderd, was symbolisch voor mijn dertigerscrisis. Ik vroeg me af wat ik nog meer over mezelf en de wereld om me heen kon ontdekken nu ik me ontdeed van de tunnelvisie die ervoor had gezorgd dat ik mijn blik alleen maar langs de carrièreladder omhoog had gericht en verder nergens naar had gekeken.

7

Plichtmatige lol

Toen mijn klant vroeg of ik samen met hem van dichtbij de werking van het callcenter van het bedrijf wilde bekijken, was ik tot mijn grote geluk één dag verlost van saaie vergaderingen en over het web surfen. Hij stond op het punt om veranderingen door te voeren die gevolgen hadden voor het personeel in het callcenter en hij wilde bepalen in welke mate die veranderingen de gang van zaken zouden verstoren. Ik greep de kans om met hem mee te gaan met beide handen aan – niet alleen om de monotonie van mijn dag te onderbreken, maar ook omdat ik het gevoel had dat ik antropologisch veldwerk ging doen. Ik vond het wel interessant om te zien hoe zo'n callcenter aan de andere kant van de telefoon werkte.

Voor ik ging kijken had ik vrij vastomlijnde ideeën over hoe een callcenter werkte: moderne slavenhokken, een hel voor de arbeiders. Ik dacht dat het er vol zou zitten met ongelukkige, verdrietige mensen zonder hoop. Ik trof er het tegendeel aan – nou ja, aan de oppervlakte althans.

Toen ik het callcenter binnenliep, had ik het gevoel dat ik op een kleuterschool beland was. Felgekleurde foto's en collages aan de wand, slingers en ballonnen aan het plafond. Ik werd aan John gekoppeld, hetgeen betekende dat ik een eigen koptelefoon kreeg, zodat ik met zijn gesprekken kon meeluisteren en ondertussen over zijn schouder meekeek naar zijn computerscherm. John was zo te zien negentien, begin twintig. Hij was zijn acne nog niet ontgroeid en ging gekleed in een polyester pak met een stropdas met een stripfiguur erop. Hij schudde me de hand, schonk me een brede beugelgrijns en klikte op een icoontje om aan zijn volgende gesprek te beginnen. Hij had alleen tijd om even met me te praten als hij wachtte tot zijn volgende slachtoffer... ik bedoel de gewaardeerde klant, opnam. De tijd waarin hij niets deed werd geklokt en hij kon zich niet veroorloven om kostbare minuten te verspillen aan een gesprek met mij. Het zag ernaar uit dat hij deze maand zijn bonus zou halen, en als hij lang niets deed kon dat in gevaar komen.

Ik vroeg wat dat voor bonus was en hij klikte door naar een ingewikkelde spreadsheet met cijfers en formules. Als alles goed ging, kon hij deze maand een bonus van 100 dollar verdienen.

John mocht zelf kiezen van welke telefoonlijst hij werkte. De klanten werden naar gelang demografische gegevens ingedeeld, en het geheim van Johns succes was erin gelegen dat hij altijd met de 'ouwe knarren'-lijst werkte. Die laten zich blijkbaar gemakkelijker dingen aansmeren. Meneer Wilson nam de telefoon op en ik begreep waarom dat was.

Op Johns scherm las ik dat meneer Wilson negenentachtig jaar was en een pensioen genoot. Het gesprek ging als volgt:

John: Goedemorgen, u spreekt met John van bedrijf X. Spreek ik met meneer Wilson?
Meneer Wilson: Nee. Meneer Wilson is er niet.
John: Dat is jammer, want ik bel om meneer Wilson te vertellen dat hij op zijn telefoonrekening kan besparen.
Meneer Wilson: Hoeveel dan?

John: Het spijt me, maar dat mag ik niet met u bespreken. Daar mag ik het alleen met meneer Wilson zelf over hebben. Weet u hoe laat hij thuis is?
Meneer Wilson: U kunt het met mij wel over meneer Wilson hebben.
John: Ik zou wel willen, maar ik heb echt alleen toestemming om er met meneer Wilson zelf over te praten. Weet u hoe laat hij thuiskomt?
Meneer Wilson: Oké, u hebt me te pakken. Ik ben meneer Wilson.

John leek helemaal niet verbaasd over het gedrag van meneer Wilson en stelde een paar vragen om zijn identiteit met zekerheid vast te stellen. Hij schakelde over naar een ander scherm en riep de telefoongegevens van meneer Wilson op.

John: Meneer Wilson, ik zie hier dat u met uw mobiele telefoon vaak naar 1300-nummers belt.
Meneer Wilson: Dat klopt. Ik wed graag op de hondenraces. Dan moet ik inbellen om te horen hoe mijn hondjes het gedaan hebben.
John: Is er een reden waarom u uw mobiele telefoon gebruikt en niet uw vaste lijn?
Meneer Wilson: Ik bel graag vanuit de tuin.

Aan het eind van het gesprek had John meneer Wilson een internetcontract van twee jaar verkocht (zodat hij online de hondenuitslagen kon bijhouden), draadloos natuurlijk, zodat hij het vanuit de tuin kon doen.

Het was mij niet duidelijk of meneer Wilson een computer bezat of zelfs maar wist wat internet was.

John hing op, gaf een vuistslag in het luchtledige en brulde

YES! Zijn teamgenoten kwamen om hem heen staan en gaven hem klopjes op zijn rug.

'Kijk, daarom vind ik mijn werk nou leuk,' zei John tegen mij. 'Ik kan mensen echt helpen.'

Ondanks de voor de hand liggende morele bedenkingen, had ik toch bewondering voor Johns verkoopkwaliteiten. Ik luisterde hoe hij de ene deal na de andere sloot en wist dat ik er bij lange na niet zo veel had kunnen sluiten, al had ik het gewild.

John vertelde dat hij naar een nieuw team in het callcenter bevorderd zou worden. Hij zat nu in het best presterende callcenter van het bedrijf, maar zou binnenkort overgeplaatst worden naar het best presterende team.

'Ik word de allerbeste,' zei John. 'Ik kan bijna niet wachten.'

De opgewekte, energieke sfeer in het callcenter verbaasde me, maar beangstigde me ook. Het leek wel een bedenksel van Aldous Huxley dat werkelijkheid was geworden.

Ik begreep niet hoe het kon dat deze mensen, die afgemeten toiletpauzes hebben en voor hun werk oude en kwetsbare mensen bestelen, zo blij konden zijn met hun werk. Toen ik de poster op de binnenkant van de wc-deur las, begon het me te dagen. Er stond WELZIJNSNIEUWS boven, en daaronder dat 'wetenschappers hebben bewezen dat je je gelukkiger voelt als je glimlacht, zelfs als je depri bent'.

Een ander inzicht in de callcentercultuur deed ik op toen ik het verschrikkelijke boek *The Secret* prominent op het bureau van de teamleider zag liggen. *The Secret* gaat over de wet van aantrekkingskracht, die er in feite op neerkomt dat je alles wat je wilt kunt bereiken, louter en alleen door positief te denken. Deze universele wet was ongeveer net zo geloofwaardig als de economische wet over puppy's waar de vrouw in de dierenwinkel het over had. Behalve dat zelfhulpgoeroes er weerzinwekkend rijk van geworden zijn, is de wet van aantrekkingskracht gebaseerd op de premisse dat het universum je alles zal geven waaraan je denkt. Via je gedachten kun je inloggen op de geschenkencatalogus van het universum en gewoon bestellen wat je wilt: een nieuwe auto, een leuke baan, een liefhebbende partner, zelfs betere ogen.

Ik vind het natuurlijk een onzinnig idee, maar toch heeft het hele concept iets leuks en aantrekkelijks. Ik moet toegeven dat ik elke ochtend weer een piezeltje hoop heb dat er een nieuwe auto op mijn oprit zal staan met een kaart die mij de weg naar mijn droombaan zal wijzen. De gedachte dat er voor iets wat een ingewikkeld probleem blijkt te zijn toch zo'n eenvoudige oplossing is, is ontzettend aanlokkelijk.

Toen *The Secret* net uit was, heeft Chris er voor een krant een recensie over geschreven. We besloten de wet van de aantrekkingskracht te testen en tot mijn spijt moet ik zeggen dat hij niet werkte. Nog niet in elk geval. Zoals in het boek wordt aangeraden hebben we tastbare en meetbare verzoeken gedaan, dus ik vroeg het universum om een iPod en hij om vijf centimeter extra. Voor het geval je het je wilt weten: geen van beide verzoeken is ingewilligd.

Het allerergste van *The Secret* is wel de manier waarop slachtoffers de schuld krijgen. Dingen die in je leven verkeerd gaan zijn volkomen je eigen schuld, omdat je het zelf tot stand gebracht hebt; als je positievere gedachten had gehad zou het nooit gebeurd zijn. Kent u Viktor Frankl en al zijn vrienden in Auschwitz? Nou, het was hun eigen schuld dat ze daar zaten, want als ze positievere gedachten hadden gehad hadden ze gewoon lekker aan de Stille Zuidzee piña colada's kunnen zitten drinken. Als je een auto-ongeluk hebt gehad – bingo, dan kwam dat door al die vervelende negatieve gedachten die je had.

John vertelde dat mensen die negatief of cynisch waren het

niet lang uitzongen in zijn team – ze werkten alleen met 'ja, ik kan het'-mensen omdat 'lol verplicht is in dit callcenter'. Misschien waren ze bang dat een negatief persoon iets verschrikkelijks tot stand zou brengen, zoals ethisch gedrag of oprechtheid, of, god verhoede, een paar minuten extra pauze om naar de wc te gaan.

Ik was helemaal van mijn stuk door dat bezoek aan het callcenter. Als je het mij vroeg deden deze mensen het ergste werk wat je in de ontwikkelde wereld maar kon doen, en ze vonden het nog leuk ook. Ik heb artikelen gelezen over het gigantische personeelsverloop in callcenters, en de al even hoge percentages depressiviteit en zwaarlijvigheid bij die arme sukkels die er niet weg kunnen of willen. Maar voor zover ik kon zien waren ze een stuk gelukkiger dan ik. Ik had niet de indruk dat het ze iets kon schelen dat ze een rotloontje kregen, onder rotomstandigheden werkten, een rottig carrièrevooruitzicht hadden en dat ze werden behandeld als kinderen.

Ik begreep wel wat er leuk aan was om met leeftijdsgenoten in een niet-hiërarchische omgeving te werken. Het was waarschijnlijk net zoiets als met je vrienden uitgaan – ze klopten elkaar letterlijk op de rug, elke keer dat ze 'iets goeds' deden. Maar ik wist ook vrij zeker dat een klopje op de rug en een wc-deurwijsheid niet genoeg waren om mij voldoening te geven. De gedachte dat ik hier elke dag acht uur zou moeten zitten om verplicht lol te hebben was genoeg om me zover te krijgen dat ik de toner uit de cartridges van de kopieermachine ging opsnuiven.

Net als van Karen begreep ik niet hoe ze gelukkig konden zijn met hun werk en er voldoening uit konden putten, maar ik benijdde hen er wel om. Als geluk het ultieme doel was, dan waren zij een stuk dichter bij het nirwana dan ik.

8

Grote verwachtingen

'Misschien verwacht je gewoon te veel van je werk,' zei Richard in alle ernst terwijl hij met zijn vinger concentrische cirkels op de tafel begon te trekken om duidelijk te maken wat hij bedoelde. Typisch een consultant: die heeft voor alles een tekening.

Richard had het naar zijn zin op zijn werk. Dat begreep ik niet, want we waren van dezelfde leeftijd en deden soortgelijk werk, maar toch leek hij niet besmet met de uitgebluste ontevredenheid van de dertiger.

'Geluk en betekenis komen voort uit vier dingen die je in evenwicht moet zien te houden: familie en vrienden, werk, hobby's en je gezondheid,' zei Richard. 'Ik haal betekenis uit mijn relatie met mijn vrouw en familie, ik doe vrijwilligerswerk bij een reddingsbrigade en ik vind het fijn om in goede conditie te zijn. Ik vind mijn werk leuk, maar ik verwacht er niet van dat dat het enige in mijn leven is waar ik voldoening uit kan putten.'

Aanvankelijk dacht ik dat Richard de weg kwijt was. Geluk in je werk vinden was niet zo eenvoudig als een tekeningetje maken en je verwachtingen bijstellen. Als we zo'n groot deel van ons leven besteden aan werken en zo hard studeren om ons op dat werk voor te bereiden, dan vind ik het een vorm van zelfbedrog, of verraad, als je met minder dan totale vervulling genoegen neemt.

Richard was niet de enige die zei dat ik mijn verwachtingen moest bijstellen bij wijze van tegengif voor de werkmisère. Nigel Marsh is er ook zo een. Marsh is een voormalig directeur van een reclamebureau, die met een afvloeiingsregeling is weggestuurd. Hij beweert dat hij door zijn baan kwijt te raken zijn leven gevonden heeft, en heeft daar twee onthullende en onderhoudende boeken over geschreven: *Fat Forty and Fired* en *Observations of a Very Short Man*. Zijn advies luidt dat je, als je je leven voor altijd wilt veranderen, moet overwegen om je normen naar beneden bij te stellen.

Ik vroeg Richard waar hij zichzelf over vijf jaar zag, en tot mijn verbazing antwoordde hij: 'Ik zie mezelf met een paar kinderen, een eigen huis, terwijl ik op mijn werk nog steeds nieuwe dingen leer en presteer en nog steeds betrokken ben bij de reddingsbrigade.' Van alle keren dat ik deze vraag heb gesteld, was het voor het eerst dat iemand zijn hele leven beschreef en niet alleen zei dat zijn carrière niet deugde. Misschien werkte de uit vier cirkels bestaande aanpak voor Richard wel.

We hebben niet allemaal zoveel mazzel als Richard, met een fijne familie en een goede gezondheid. Maar misschien sloeg hij met die hobby's de spijker wel op de kop. Ik heb altijd gedacht dat er een proportionele relatie moest bestaan tussen tevredenheid en tijd. Ik hoor uiteraard meer tevredenheid van mijn werk te verwachten dan van mijn hobby's, aangezien ik meer tijd aan mijn werk besteed. Richard en ik keken allebei heel anders tegen tevredenheid aan: ik mat tevredenheid af in tijdeenheden, als een boekhouder, en Richard was de estheet die zich liever op kwaliteit dan op kwantiteit richtte.

Ik besloot Richards aanpak op mezelf te proberen en probeerde meer aandacht aan mijn hobby's te besteden. Er was alleen een klein probleempje. Ik had geen hobby's. Waar waren al mijn hobby's gebleven? Ik deed vroeger aan ballet, amateurtoneel, ik zat in een discussieclubje en in de studentenraad. Sinds ik werkte had ik nergens meer wat aan gedaan. Ik had geen tijd voor lichtzinnige dingen als een hobby; ik moest aan mijn carrière werken. God, wat was ik een loser geworden.

Toen ik me realiseerde dat ik al meer dan tien jaar geen hobby meer had, besloot ik daar meteen verandering in te brengen. Volgens Barbara Sher in *I Could Do Anything; If Only I Know What It Was*, is een nieuwe hobby beginnen een goede manier om nieuwe mensen te leren kennen en nieuwe dingen te proberen die je kunnen helpen erachter te komen wat je nu eigenlijk met je leven wilt. Dat wilde ik wel geloven. Maar hoe moest ik erachter komen wat ik nog meer wilde doen in mijn leven als ik verder niemand kende die het anders aanpakte?

Na een gesprek dat ik onlangs met een manager op mijn werk had, realiseerde ik me hoe klein mijn wereldje geworden was. Hij vertelde me dat hij nog nooit een werkloze had ontmoet. Ik grinnikte zelfingenomen om zijn beperkte sociale leven, tot ik eens over dat van mezelf ging nadenken. Ik kende alleen mensen die hetzelfde deden als ik. Alle mensen met wie ik omging waren hoogopgeleid, kwamen uit de middenklasse, en de meesten deden werk dat iets met informatieoverdracht te maken had. We hadden dezelfde politieke denkbeelden, dronken dezelfde wijn, lazen dezelfde boeken, lachten om dezelfde schuine kantoormoppen – en sommigen hadden zelfs hetzelfde soort hond.

Vanuit het tweeledige doel om een hobby te krijgen en mijn horizon te verbreden, ging ik bij een tapdansgroep voor beginners. Die werd geleid door een voormalige showgirl van in de zestig. Ze was extravagant en excentriek, op een leuke manier; en ze had benen om een moord voor te doen. Ze beloofde dat je met tapdansen je cellulitis kwijtraakte. Ik kocht een paar felrode tapschoenen en zag er geweldig uit!

Ik was de vreemde eend in de bijt van de tapdansles, want ik was de enige die bij een bedrijf werkte. Sommige vrouwen waren verpleegkundige, maar de meeste waren met een rijke man getrouwd, hadden de kinderen uitbesteed, gingen op dinsdag naar tennis, kortom de chique elite. Het waren prachtige vrouwen die naar gestreken linnengoed roken en die erg trots waren op hun rozentuin.

De taplessen waren super. Ik leerde hoe je pasjes moest maken, dat je van tapdansen niet je cellulitis kwijtraakt en waar je goedkoop botoxinjecties kon krijgen, maar ik werd geen steek wijzer over wat ik verder met mijn leven wilde. En het hielp me zeker niet om vrolijker op mijn werk te verschijnen.

Ik vroeg me af of ik gewoon de verkeerde hobby had gekozen. Ik kwam steeds mensen tegen die bij een reddingsbrigade werkten en die dat betekenisvol vonden en er voldoening uit putten. De reddingsbrigade sprak me aan omdat het nobel en sportief was, maar ik had geen zin om elk weekend in een badpak rond te rennen, en al helemaal niet nu dat tapdansen me niet van mijn cellulitis had verlost.

Nigel Marsh was toen hij was wegbezuinigd en zijn kwaliteit van leven weer probeerde op te vijzelen, bij een reddingsbrigade gegaan en had leren zwemmen. Mijn vriendin Katherine (misschien wel de meest veelzijdige en gelukkige persoon die ik ken) is ook heel actief in een reddingsbrigade.

Katherine was een paar jaar ouder dan ik en de meest efficiënte persoon met wie ik ooit had samengewerkt. Ze was zo'n irritant type dat erin slaagde al haar e-mails te lezen, ze te beantwoorden en ze op te bergen, allemaal op dezelfde dag dat ze verzonden waren. We hebben samengewerkt aan een programma voor de Olympische Spelen van Sydney. Zij werkte op de pr-afdeling en kon in noodtempo nieuwsbrieven en persberichten afdraaien.

Ik was Katherine uit het oog verloren, totdat ik haar naam tegenkwam in het e-mailbestand van een van de organisaties die klant bij mij zijn. Ik stuurde haar een mailtje om hallo te zeggen en te vragen wat ze tegenwoordig zoal deed. Ze antwoordde binnen vijf minuten. Sommige dingen veranderen ook nooit.

Katherine werkte nog steeds bij de pr en was nog steeds actief betrokken bij de reddingsbrigade. In haar e-mail schreef ze dat ze haar werk enig vond. Enig! Ze is in de dertig en ze schrijft nog steeds 'enig'. Ik belde haar meteen op om een lunchafspraak te maken.

'Toen ik van de universiteit kwam, dacht ik dat ik de wereld zou veranderen,' zei Katherine. 'Ik ging ervan uit dat ik dat via mijn werk zou doen, maar toen realiseerde ik me dat ik de wereld al redde: ik deed het namelijk via de reddingsbrigade.'

Katherine heeft veel tijd gestoken in de opleiding van jonge mensen voor de reddingsbrigade. 'Ik heb voor sommige van die kinderen echt iets veranderd in hun leven,' zei ze. 'Sommige waren op het verkeerde pad en ik heb ze geholpen hun leven weer in goede banen te leiden. Nu zie ik hoe ze met de dingen die ik ze heb geleerd andere mensen het leven redden. Dat geeft veel voldoening.'

Het duurde even voordat Katherine zich realiseerde dat ze niet ambitieus was. Ze hield zichzelf nog een tijdje voor de gek, probeerde op te klimmen en eindigde als manager van een team mensen. 'Ik hou er niet van om leiding te geven,' zei ze. 'Ik moet er niet aan denken om de baan van mijn baas te hebben.'

Haar baas was vijfendertig, een vrouw, briljant, en Katherine had duidelijk veel respect voor haar, maar haar baas bracht haar leven door op kantoor en zo'n leven wilde Katherine niet. 'Ik wil een baan waarmee ik genoeg verdien om mijn manier van leven te kunnen betalen, maar die mijn leven niet verstoort,' zei ze.

Van buitenaf gezien leidt Katherine een vol en rijk leven. Afgezien van haar reddingsbrigade heeft ze een uitgebreide vriendenkring over wie ze liefdevol spreekt, en drie peetkinderen. Ze volgt ook cursussen op de plaatselijke volksuniversiteit. Tot nu toe heeft ze een cursus breien, shiatsumassage en schilderijen inlijsten gedaan.

Katherine zei dat ze, zelfs als ze bulkte van het geld, toch nog zou blijven werken. Ze vond het leuk om op haar werk met verschillende soorten mensen om te gaan die ze in haar sociale omgeving anders nooit zou ontmoeten. Ze had ook de intellectuele uitdaging van haar werk nodig. 'Op mijn werk ben ik voortdurend iets aan het presteren,' zei ze. 'Ik heb het gevoel dat ik er op mijn werk toe doe. Het is natuurlijk niet alsof ik iemands leven red, maar ik vind het leuk om te communiceren en andere mensen hebben er wat aan.'

Ze vond haar huidige baan vooral zo leuk omdat haar baas haar veel vrijheid gaf en haar het gevoel gaf dat ze gewaardeerd werd. Haar werkomgeving was ook leuk en bruisend. 'Toen ik hier voor mijn sollicitatiegesprek kwam, werd ik in de hal gepasseerd door een jongen die een reusachtige opblaasbare garnaal droeg. Bij een organisatie met zo'n gevoel voor humor wil ik wel werken,' zei ze.

Ik bedacht dat het er niet zozeer om ging dat Katherine haar baan leuk vond, nee, het ging er meer om dat ze haar leven leuk vond, en haar baan was gewoon één aspect van haar volle leven.

Als je leven verrijkt is met andere dingen, zoals hobby's,

vrienden en familie, kun je je misschien veroorloven om je verwachtingen qua werk naar beneden bij te stellen, want je behoeften worden al vervuld door die andere dingen.

Ik heb ervoor gekozen om mijn hobby's op te geven en andere aspecten van mijn leven op een laag pitje te zetten terwijl ik aan mijn carrière werkte, dus het is niet zo vreemd dat ik ontevreden en verbitterd geworden ben. Hoe zou een baan nou ooit in alle behoeften van mijn leven kunnen voorzien?

Mijn vriendin Sue zei dat ik vrijwilligerswerk moest gaan doen. Ze was een zeer doortastende dame met een hoge functie in de reclame en haar werk was alles voor haar. Als workaholic wat ze gestopt met fietsen, wat ze haar hele leven met veel plezier had gedaan, een relatie paste niet in haar programma en ze kon nauwelijks tijd maken om vriendinnen terug te bellen. Ze had voortdurend zo'n gezicht van 'ik heb het veel te druk en ben veel te belangrijk om nu met je te praten'. Maar op een dag stortte ze in en sloeg haar frustratie om in tranen. Ze begon te huilen en kon niet meer ophouden.

Na wat pijnlijke zelfbespiegeling en wat zelfhulpcursussen realiseerde Sue zich dat ze het perspectief in haar leven was kwijtgeraakt. 'Mijn hele leven heeft alleen maar om mij gedraaid en om dat ik mezelf wilde bewijzen,' zei ze. 'Ik realiseerde me dat er grotere problemen op deze wereld waren dan hoe mijn werkdag eruitzag.'

Sue wilde iets doen voor de samenleving, dus ging ze vrijwilligerswerk doen bij de Pyjama Foundation. De Pyjama Foundation is een liefdadigheidsvereniging die mensen zoekt die kinderen willen voorlezen. 'Hun uitgangspunt is dat als een kind duizend boeken voorgelezen krijgt, ze geletterd worden,' zei ze. 'Als een kind naar school gaat zonder ooit voorgelezen te zijn, is die achterstand niet meer in te halen.'

Sue koos voor vrijwilligerswerk bij de Pyjama Foundation

omdat ze onderwijs het belangrijkste vindt wat er is. 'Ik heb me uit de armoede kunnen bevrijden door de kansen die ik door onderwijs heb gekregen,' zei ze.

Maar Sue waarschuwde me wel dat het vrijwilligerswerk niet was wat ze ervan verwacht had. Ze wilde dat het een heel mooie ervaring was, maar het was vaak gewoon frustrerend en hard werken. Soms zijn de kinderen gewoon kleine ettertjes of hebben de ouders geen waardering voor wat ze doet. 'Er is vaak geen enkele warmte,' zei ze. 'Maar ik realiseerde me al snel dat het niet om mij gaat, maar om het kind.'

In een heleboel boeken over hoe je je carrière moet sturen kun je lezen dat je vrijwilligerswerk moet gaan doen omdat het een manier is om nieuwe ervaringen op te doen en een nieuw perspectief te krijgen. Er staat ook in dat de meeste vrijwilligers zeggen dat ze zelf meer leren dan ze anderen bijbrengen. Sue vertelde me dat het soort onbaatzuchtigheid dat je nodig hebt om elke week terug te gaan een belangrijke les voor haar was. Ze heeft nu een gezonder perspectief op haar eigen leven en voelt zich ook verrijkt doordat ze iets doet wat belangrijk is. 'Hier ga ik voor en ik wil iets bijdragen aan de wereld,' zei ze.

Emma voelde zich geïnspireerd door Sue en ging vrijwilligerswerk doen bij een organisatie die de huisdieren van mishandelde vrouwen in een crisisopvang onderbrengt. Een van de belangrijkste redenen waarom vrouwen geen eind aan een relatie maken waarin ze mishandeld worden blijkt hun angst te zijn voor wat er dan met hun huisdieren gebeurt. Er bestaat crisisopvang voor vrouwen en kinderen die huiselijk geweld ontvluchten, maar ze kunnen niet hun huisdieren meenemen. Het idee is dus dat vrouwen eerder geneigd zullen zijn een gevaarlijke situatie te verlaten als ze weten dat er voor hun dieren gezorgd wordt. Emma ging als vrijwilligster voor honden, katten en konijnen werken. Ondanks haar goede bedoelingen kon ze zich er niet toe zetten om voor slangen te zorgen.

Chris opperde dat ik als vrijwilliger jonge vrouwen moest gaan begeleiden. Ik kon mijn kwaliteiten op het gebied van management en mijn zakelijke kwaliteiten gebruiken om jonge vrouwen met hun carrière te helpen. Hij dacht dat ik, als ik met mensen werkte die niet alle carrièrekansen hadden die mij wel waren toegevallen, misschien een andere kijk op mijn eigen baan zou krijgen. Ik deed een beetje onderzoek op internet en vond twee mogelijkheden. Er was een programma voor vrouwen uit een achterstandsmilieu die een eigen bedrijf wilden beginnen en er was het Big Sister-programma dat meisjes uit een risicogroep een positief rolmodel en wat emotionele steun wilde geven. Ik schreef me bij beide programma's in en kreeg in beide gevallen te horen dat ik op de wachtlijst was gezet. Er waren blijkbaar meer begeleiders dan begeleiden. De geschatte wachttijd liep van een halfjaar tot een jaar, dus ik neem aan dat ik niet de enige uitgebluste, ontevreden dertiger ben die iets probeert te doen wat ertoe doet.

9

Body for Life

Ik mocht Emma dan ernstig toegesproken hebben over haar onverantwoordelijke gedrag, ik was zelf ook niet bepaald het toonbeeld van een gezonde levensstijl. Ik bracht de frustratie, het cynisme en de lethargie van mijn werk mee naar huis, en dat leidde ertoe dat ik elke avond gin dronk, dat ik hoofdzakelijk chocola of ijs at en dat ik in algemene zin als een slons leefde. Ik lag elke avond voor de televisie en kon niet eens van de bank af komen om Toffee uit te laten. De ellende van mijn werk begon tot de rest van mijn leven door te dringen. Ik moest de cyclus doorbreken voor de boel uit de hand liep.

Na mijn moeders zelfmoordpoging is er bij mij een posttraumatische stressstoornis gediagnosticeerd. In combinatie met het uiteenvallen van het gezin waar ik uit kwam en het mislukken van de relatie met mijn ex zorgde die ervoor dat ik in een diepe depressie raakte. Ik heb twee jaar en een klein fortuin aan therapie besteed om me daar weer uit te werken, dus ik kon mezelf niet toestaan er weer in af te glijden. Ik beschouwde depressie een beetje als alcoholisme of anorexia – als je het eenmaal hebt, maakt het altijd deel van je uit.

Het gevoel hebben dat je er 'schoon genoeg van hebt' en een depressie zijn niet hetzelfde. Ik voelde me ontevreden, gefrustreerd en lethargisch, maar ik was niet depressief – nog niet. Aangezien ik een depressie heb gehad kan ik u verzekeren dat die van een totaal ander niveau is, maar ik geloof wel dat het een tot het ander kan leiden. Als je depressief bent is het net alsof je in een zware grijze wolk rondloopt en wat je ook doet, de zon komt er niet doorheen. Het is een leven zonder lach, zonder muziek, zonder seizoenen en zonder hoop. Ik heb het gevoel dat de zwarte hond altijd ergens om een hoek loert en dat ik maar een paar verkeerde keuzen hoef te maken of hij bijt me weer in mijn hielen. Ik moest met mezelf aan de slag.

Chris haalde me over om het Body for Life-programma te gaan doen – een fitnessprogramma dat is ontwikkeld door fitnessondernemer en verkoper van voedingssupplementen Bill Phillips om je in twaalf weken tijd in vorm te krijgen. Het bestaat uit een programma voor lichaamsbeweging en uit een dieet met heel veel proteïnerepen, poeders en andere supplementen. Ik raakte een beetje verontrust van al die plastic uitziende mensen op de website – te gewaxt, gebruind en geolied naar mijn zin.

De foto's deden me denken aan een ex van me die kampioen bodybuilding was. Ik weet niet wat me bezielde toen ik iets met hem kreeg; ik denk dat ik gewoon gevleid was omdat hij iets in me zag, en ik wilde zijn marketingaantekeningen. Hij maakte echt heel goede aantekeningen tijdens colleges. Het duurde niet lang, voornamelijk doordat hij meer in zijn eigen lichaam geïnteresseerd was dan in dat van mij (en ik had al mijn marketingvakken al gehaald). De arme knul, er zat niet veel in, boven, en onder trouwens ook niet. Je weet toch wat er beweerd wordt over de bijwerkingen van steroïden? Dat is allemaal waar.

Chris en ik namen, precies zoals ons werd opgedragen, 'ervoor'-foto's van onszelf in ondergoed. Chris zag er al lekker uit, maar laten we wat mij betreft maar zeggen dat mijn dieet van gin en chocola zijn tol begon te eisen.

Het wekelijkse bewegingsprogramma bestond uit drie dagen gewichten en drie dagen cardio. Cardio was maar twintig minuten intervaltraining op de loopband, maar ik was nog geen twee minuten bezig of ik dacht al dat ik doodging. Ik had nog een lange weg te gaan voor ik een 'erna'-foto waard was.

De zevende dag was mijn favoriete dag – dan werd er niet gesport en mochten we eten wat we wilden. Bill moedigt mensen zelfs aan om pizza, taart, chips, of wat je maar wilt, te eten. De theorie erachter is dat je lichaam door het contrast met het strenge dieet van kwark en proteïneshakes van de zes dagen ervoor zo schrikt dat het in de overdrive schiet en je stofwisseling een nieuwe impuls krijgt. Eindelijk had ik iets om naar uit te kijken – de verrukkelijke zevende dag!

Het ging allemaal prima, totdat ik op een ochtend wakker werd met lage rugpijn. Ik besteedde er niet al te veel aandacht aan en ging ervan uit dat ik de dag ervoor mijn rugspieroefeningen iets te heftig had gedaan. Tegen lunchtijd had ik geen gevoel meer in de tenen van mijn linkervoet. Twee uur later voelde mijn hele voet doof aan. Niet lang daarna begonnen de vingers van mijn linkerhand te tintelen. Toen mijn vingers blauw begonnen te worden, raakte ik in paniek.

Chris haalde me op van mijn werk en bracht me naar het ziekenhuis. De eerste hulp puilde uit van bloedende en gewonde mensen die op groene morfinestaafjes zogen. Jammie. Ik zei tegen de verpleegkundige dat ik aan één kant van mijn lichaam geen gevoel meer had en toen kwam er ogenblikkelijk een dokter bij me. Dat zal ik voor de volgende keer onthouden: noem de symptomen van een beroerte of hartaanval en je kunt de rij overslaan.

Dokter Charlie kwam zo van de universiteit, had nog niet

eens echt baardhaar en als hij iets zei sloeg zijn stem over. Hij deed allerlei testjes, onder andere een waarbij hij met naalden in mijn voet prikte en mijn reflexen met een hamertje controleerde. Zijn omgang met patiënten kon beter, vooral toen hij terloops liet vallen dat het kon zijn dat ik een degeneratieve hersenaandoening had. Hij nam bloed af en stuurde me terug naar de wachtkamer, waar ik op de uitslag moest wachten.

Toen ik naast een vrouw kwam te zitten die al meer dan drie uur zat te wachten, voelde ik me een beetje schuldig. In vergelijking met mij had zij maar een kleine klacht. Zij had alléén maar diepveneuze trombose. Ruth was stewardess voor een goedkope vliegmaatschappij en DVT was een beroepsrisico. Ze zei dat ze nooit meer als stewardess kon werken. Dus toen ik tegen Ruth zei dat ik dat erg voor haar vond, lachte ze en zei ze dat ze opgelucht was – ze had er schoon genoeg van om lichaamssappen op te ruimen. Minstens één keer in de week zat er wel een passagier zich in zijn stoel af te trekken en dan moest zij de gezagvoerder uit de cockpit halen, die dan tegen die passagier zei dat hij hem weer in zijn broek moest stoppen.

Ik geloofde mijn oren niet. Ik had al veel gevlogen in mijn leven, maar ik had nog nooit meegemaakt dat iemand zich in de stoel naast mij aftrok. Ze zei dat het aan de orde van de dag was, vooral op lange vluchten. Passagiers plassen ook in de kotszakjes in plaats van naar de wc te gaan. Die laten ze dan onder de stoel liggen, en de stewardessen kunnen ze opruimen. Vliegen zal voor mij nooit meer hetzelfde zijn.

DVT en sperma opruimen. Dan was mijn baan zo gek nog niet.

Na ongeveer een halfuur mocht ik weer naar binnen, naar Charlie, voor de uitslag van mijn bloedonderzoek. Die was goed, dus stuurde hij me naar huis met een verwijsbrief om de volgende dag röntgenfoto's te laten maken. Ik heb een godsvermogen aan scans uitgegeven, maar ze konden niet ontdekken wat er met me aan de hand was. Na een paar weken kwam het gevoel in mijn hand en voet langzaam terug.

Ik gebruikte dit voorval als excuus om met Body for Life te stoppen en weer chocola te gaan eten. Ik was er echter wel in geslaagd om de neerwaartse spiraal te doorbreken en at veel gezonder dan voor ik aan het programma begon.

Het ziekenhuisbezoek riep de vraag bij me op of ik in een betekenisvollere baan gelukkiger zou zijn – bijvoorbeeld als ik een degeneratieve hersenaandoening bij iemand kon constateren of verwijsbrieven kon uitschrijven voor röntgenfoto's.

Mijn tweelingbroer redt levens voor de kost. Wesley is arts, gespecialiseerd in intensive care en anesthesie. Sinds hij arts is, is hij behoorlijk veranderd. Hij is veel beheerster dan vroeger toen we jong waren. Hij zei dat ik ook zou veranderen als het op mijn werk dagelijks voorkwam dat iemand tegen wie ik 's ochtends hallo zei, dood was tegen de tijd dat hij 's middags suiker in zijn caffè latte deed.

Sinds mijn broer en een paar van mijn vrienden de eed van Hippocrates hebben afgelegd heb ik veel meer sympathie en respect voor artsen. Het belang van de artsenij staat buiten kijf, maar dat belang wordt wel duur betaald. Neem nou de fouten. Als een arts even niet oplet kan hij zomaar iemand doden. Als ik vroeger verhalen over medische vergissingen hoorde, dacht ik alleen maar aan de patiënt en zijn familie en vervloekte ik die incompetente arts. Nu denk ik aan die arme dokter die iets gedaan heeft wat ieder mens wel eens doet – een fout maken – en nu de rest van zijn leven verder moet met de wetenschap dat hij iemand heeft gedood. Een vriendin van me vertelde me dat het, toen zij coschappen liep, niet de vraag was óf zij en de andere coassistenten iemand zouden doden, maar wannéér. Het schijnt dat elk jaar wanneer de coassistenten beginnen, het percentage 'negatief patiëntenresultaat' in een ziekenhuis omhooggaat.

Artsen moeten altijd bij de les zijn. Ze kunnen niet de hele dag koffie drinken en lunchen of online hun horoscoop lezen – een beetje zoals ik de laatste tijd heb gedaan. Er zullen wel veel van dat soort banen zijn: politieagenten, piloten, verpleegkundigen, advocaten. Als advocaten een fout maken of de hele dag over het net surfen in plaats van hun werk te doen, kan iemand in de gevangenis belanden.

Ik denk graag dat ik vrij goed in mijn werk ben, maar ik laat voortdurend steken vallen. Ik heb al een paar fenomenale missers begaan. De ergste fout die ik ooit gemaakt heb was dat ik een man heb aangenomen die vroeger in het Israëlische leger had gediend. Het was een echt heethoofd en ik kwam er later achter dat een paar vrouwelijke collega's doodsbang voor hem waren. Ik heb hem een baan gegeven omdat ik medelijden met hem had. Hij was net weer in het land, nadat hij zijn tijd in het leger had gediend en hij wilde even iets anders. Van begin af aan ging het niet lekker, maar aanvankelijk ging het nog wel – tot de dag waarop iemand zijn koffertje in de receptie liet staan. Vergeet niet dat het in de jaren 1990 was – heel lang voor 11 september, en heel lang voor de tijd dat we ons zoregn maakte om een achtergelaten koffertje. Maar goed, onze soldaat kwam net uit het leger en ging ervan uit dat het een bom was. Hij liet het hele gebouw evacueren, alle vijfendertig verdiepingen. Het kwam niet in hem op om de beveiliging of zelfs maar de politie te bellen, hij ging gewoon van de ene verdieping naar de andere en evacueerde iedereen. Die middag greep mijn manager in en ontsloeg hem. Mijn manager verbood me ook om ooit nog mensen aan te nemen. Interessant hoe de tijden veranderd zijn. Als er nu zoiets zou gebeuren zou de soldaat waarschijnlijk een held genoemd worden.

Als ik vroeger fouten op mijn werk maakte, trok ik me dat heel erg aan en was ik er doodziek van. Nu neem ik het veel meer voor lief. Fouten maken doet me niet meer zoveel als vroeger, omdat ik me gerealiseerd heb dat de consequenties van mijn fouten zijn te verwaarlozen. Als ik een fout maak, loopt een project hooguit een paar weken vertraging op of iemand die toch al genoeg geld heeft, verliest daar een beetje van. Maar het meest waarschijnlijke scenario is wel dat niemand het merkt – zoals ook niemand ooit gemerkt heeft dat ik de halve dag in de dierenwinkel doorbracht.

Als niemand merkt dat je fouten op je werk maakt of zich daar iets van aantrekt, móét je je wel onbelangrijk voelen.

10

Headhunting

Mijn gesurf over internet werd onderbroken doordat de telefoon ging. Het was een geheim nummer, dus ik liet hem op het antwoordapparaat overschakelen. Mensen die hun nummer afschermen vertrouw ik niet. Ik denk dat ze óf paranoïde geheimhoudingsfreaks zijn óf dat ze me iets willen verkopen.

Ik had gelijk: het was een headhunter die me een nieuwe baan probeerde aan te smeren. Annabels boodschap luidde dat ik haar was aanbevolen en dat ze graag met me wilde praten over een baan als senior-verandermanagementconsultant voor een van de wereldleiders op het gebied van IT. Geweldig: dezelfde saaie, betekenisloze onzin, maar dan met een ander bedrijfslogo op mijn visitekaartje. Ik heb niet teruggebeld.

Een paar dagen later belde ze weer. Dit keer nam ik op, en omdat ik niks beters te doen had, sprak ik iets met haar af. Ik wist vrijwel zeker dat ik geen belangstelling zou hebben voor wat ze te zeggen had, maar het is altijd leuk om jezelf op koffie te laten trakteren en om je ego eens te laten strelen.

Als ik je zou vertellen hoe ik er echt over denk, zou ik zeggen dat in mijn ogen alle headhunters schurken zijn. Ze zijn meedogenloos, onoprecht en gewoon regelrechte leugenaars; ze zijn je beste vriend, totdat je het contract getekend hebt. Zodra de inkt droog is, schrijven ze je af en gaan ze door naar het volgende gastlichaam dat zich voor hun parasitaire bestaan aanbiedt. Maar aangezien ik mijn harde, veroordelende kant graag zo lang mogelijk voor mensen verborgen houd, zullen we het er maar op houden dat ik, als het op normen en waarden aankomt, van mening ben dat de meeste headhunters voor verbetering vatbaar zijn.

Dus je kunt je mijn verbazing wel voorstellen toen ik er een ontmoette die geen schurk was. Annabel verraste me. Ze maakte een oprechte indruk en leek over de zeldzame eigenschap 'integriteit' te beschikken. Het klikte meteen tussen ons, dus toen ze me over de baan vertelde, duwde ik mijn cynisme naar de achtergrond en schonk ik haar het voordeel van de twijfel.

Ze vroeg of ik ooit had overwogen om voor ABC Company te gaan werken (ik heb de naam van het bedrijf veranderd om de onschuldigen te beschermen, én mijn carrière). Ik zei nee, en ze keek verbaasd, omdat dit een van de grootste en meest prestigieuze softwarebedrijven ter wereld was. Ze vertelde dat mensen in de rij stonden om er te mogen werken. Ze hadden de prijs voor beste werkgever gewonnen en hadden een vrouwelijke directeur. Dat was de enige reden waarom ik ermee instemde om een gesprek te hebben met het hoofd business consulting.

In het weekend deed ik wat research naar het bedrijf. Hoe meer ik erover las, hoe geïnteresseerder ik raakte: het was een grote, rijke, innovatieve multinational en men beloofde dat de werknemers er konden 'groeien'. Misschien vond ik er wel de intellectuele uitdaging waar ik zo naar hunkerde.

De dag voor het gesprek belde mijn vader om me voor zijn bruiloft uit te nodigen. Sinds hij bij mijn moeder was weggegaan was ons contact nogal moeizaam verlopen, voornamelijk doordat ik in de frontlinie stond en alle pijn en verdriet die hij achter had gelaten van nabij meemaakte. Maar er was enige tijd overheen gegaan en ik wilde dolgraag mijn relatie met hem herstellen. Ik miste hem. Ook al zou het een bizarre en confronterende ervaring zijn om te zien hoe mijn vader met een andere vrouw trouwde, toch wilde ik erbij zijn, als gebaar dat ik het accepteerde en hem steunde. Ik zei ja.

Vier uur later belde mijn vader terug om de uitnodiging voor zijn bruiloft weer in te trekken.

Hij zei dat hij me er niet bij wilde hebben omdat ik niet aardig was voor zijn partner. Dat was zo onrechtvaardig dat ik er helemaal kapot van was. Als ik toen nog steeds krengerig tegen zijn partner had gedaan, oké, dan had hij alle reden gehad om dat te zeggen. Maar het geval wilde dat ik mijn best had gedaan. Ik had echt mijn best gedaan. De laatste keer dat ik ze gezien had, had ik haar zelfs nog oorbellen cadeau gedaan. En nog mooie ook, en dure. Als ik geweten had dat ze dan nog steeds een hekel aan me had, had ik ze voor mezelf gehouden.

Ik moet toegeven dat ik in het begin een beetje argwanend was, maar ik had een jaar lang van alles geprobeerd om te laten zien dat ik het accepteerde. Ik mocht haar zelfs graag. Ik vond het ook leuk om te zien dat ze mijn vader zo gelukkig maakte. Ik ben zelfs zo ver gegaan dat ik hun onomwonden heb gezegd dat ik blij was voor hen allebei. Maar blijkbaar hadden ze zo hun twijfels over mijn oprechtheid.

Kijk, het punt is, als ik een kreng had wíllen zijn, had ik dat best gekund. Dat ik daar ten onrechte van beschuldigd werd, vond ik bijna onverdraaglijk. Ik was er helemaal kapot van dat mijn vader me daarvan beschuldigde en dat hij zijn uitnodiging weer introk. Toen ik het er later met mijn opa over had, verwachtte ik dat hij me zou steunen, maar hij zei alleen maar: 'Je vader was bang dat jij, als je naar de bruiloft zou komen, de dag voor iedereen zou verpesten.' Ik kan me niet voorstellen wat ze dan dachten dat ik zou doen. En ik begrijp ook niet hoe ze allebei zo'n lage dunk van mij kunnen hebben.

Dit was een heel bepalend moment in mijn leven. Mijn illusies over werk en organisaties waren toen ik de dertig was gepasseerd aan diggelen gegaan, en dat gold ook voor mijn illusies over mijn familie. De twee instituten waar ik me voorheen aan had gespiegeld en waar ik mijn eigenwaarde aan had ontleend, waren van hun voetstuk gevallen en lagen in stukken en bezoedeld voor me. Op rationeel niveau wist ik wel dat ik, doordat mijn illusies kapotgeslagen waren, gemakkelijker het advies van mijn broer Michael zou kunnen opvolgen, over dat ik de verwachtingen van de maatschappij moest afwijzen en mijn eigen pad moest banen. Maar dat maakte mijn verdriet er niet minder pijnlijk op.

Ik huilde de hele nacht, en 's ochtends ook nog. Onderweg naar het gesprek bij ABC Company huilde ik nog steeds. Godzijdank voor de waterproofmascara en de camouflagestift.

Ik was onder de indruk van de visie en de geestdrift van het hoofd business consulting met wie ik het gesprek had, maar met mijn hart was ik er niet bij. Ik zei dingen over verandermanagement, maar het enige waar ik aan kon denken was de onherstelbaar beschadigde relatie met mijn vader. Ondanks al mijn werkprestaties en alle dingen die ik gedaan had om te zorgen dat mijn vader trots op me was, was het nog steeds niet genoeg. Door dit besef leek het verlangen om me binnen een bedrijf omhoog te werken nog veel onzinniger. Als ik er niet gelukkig van werd en als mijn vader niet eens trots op me was, voor wie deed ik het dan, en waarom?

Ik wist bijna zeker dat het gesprek niet goed genoeg was verlopen, dus ik bereidde me al voor op het 'bedankt, maar toch maar niet'-telefoontje. Dus je kunt je mijn verbazing wel voorstellen toen Annabel een paar dagen later belde om te zeggen dat ik door was naar de tweede ronde. Mijn gesprekspartner was onder de indruk van mijn 'ontspannen houding'. Niet te geloven, toch? Ik was niet ontspannen; ik was gedesillusioneerd, verdrietig en afgewezen. Wie had kunnen denken dat het zo gunstig voor mijn carrière zou zijn dat ik mijn betrokkenheid, en mijn vader, was kwijtgeraakt?

Ik maakte van de gelegenheid gebruik om Annabel naar haar baan te vragen en te informeren of ze daar voldoening in vond of niet. Ze was dol op haar werk. Ze zei dat het echt ontzettend veel voldoening gaf om de juiste kandidaat aan de juiste baan te koppelen (zie je wel dat ze geen schurk is?). Annabels echtgenoot was huisman en zorgde voor de twee kinderen, terwijl zij werkte. Ze zou het niet anders willen. Ze was dol op haar kinderen en zou ze nooit kwijt willen, maar ze zei dat ze, als ze het opnieuw mocht doen, ze niet weer zou willen krijgen.

Het verbaasde me ontzettend dat ze dat zei. Ik had nog nooit van mijn leven een moeder zoiets over haar kinderen horen zeggen. Ik schaam me dat ik het moet toegeven, maar ik ben zo sterk geconditioneerd over hoe moeders wel en niet over het moederschap mogen denken dat het eerste wat in me opkwam was: 'Wat een monster'. Annabel is geen monster en ze is waarschijnlijk nog een fantastische moeder ook. Hoe durf ik haar te veroordelen vanwege het feit dat ze zo eerlijk is? Ik vroeg me af hoeveel moeders er net zo over dachten als Annabel, maar er niet over durfden te praten uit angst erom veroordeeld te worden. Moet je je voorstellen wat voor schuldgevoel die vrouwen met zich meedragen.

Een paar dagen later vertelde ik dit verhaal aan een paar vriendinnen op een feestje. Samantha, een van de vrouwen daar, zei: 'Nou, aangezien we nu toch eerlijk zijn: zo denk ik er ook over.' Samantha zei dat ze haar leven voordat ze kinderen had veel leuker had gevonden en dat ze niet kon wachten tot ze ouder waren, zodat ze weer fulltime kon gaan werken.

Ik ben onder de indruk van de eerlijkheid van Annabel en Samantha. Het was ontzettend moedig van ze om toe te geven dat ze liever een ander pad hadden gekozen. Maar als je er goed over nadenkt is het ook weer niet zo vreemd. Alle mensen zijn anders, dus het is onzin om te denken dat we allemaal hetzelfde over moederschap zouden denken, of over wat dan ook trouwens.

Deze gesprekken zetten me aan het denken over mijn eigen situatie. Net zoals het voor vrouwen sociaal onacceptabel is om toe te geven dat ze liever geen kinderen hadden gekregen, is het ook sociaal onacceptabel voor iemand met een goede baan om toe te geven dat hij die eigenlijk niet wil. Barbara Sher zegt dat ze medelijden heeft met mensen met een goed betaalde baan met een hoge status, omdat deze mazzelaars, de fast-trackers, in tegenstelling tot andere mensen die over hun ellendige situatie mogen klagen, denken dat ze de hoofdprijs hebben gewonnen en dus niet het recht hebben om te klagen. Maar ze kijken verbijsterd om zich heen en proberen erachter te komen wat er mis is gegaan.'

Ik realiseerde me dat het een taboe is om dertiger te zijn en er schoon genoeg van te hebben.

11

Afhaken

De generatie die afhaakt is het niet met Annabel en Samantha eens.

Over deze generatie is voor het eerst geschreven door Lisa Belkin, journalist voor de *New York Times*, die haar feministische zusters een rolberoerte heeft bezorgd door te schrijven over welvarende, hoogopgeleide vrouwen die er bewust voor kiezen om niet meer te werken en die liever thuisblijven en moeder zijn.

Deze vrouwen zijn als besten van hun jaar afgestudeerd en hadden alle kans om zich verder omhoog te werken dan welke vrouwen in de geschiedenis ook. Ze hadden hun revolutionaire zusters aan het huilen moeten maken van trots, maar in plaats van een bedrijf te leiden of een land te besturen, zeggen ze: 'Krijg de klere, ik blijf liever thuis om naar *De Smurfen* te kijken.'

Belkin stelde de vraag: 'Waarom vrouwen niet de dienst uitmaken in de wereld' en vervolgens maakte ze vrouwen alom kwaad én bevrijdde hen door de vraag te beantwoorden met: 'Omdat ze dat niet willen.'

Toen ik dat las, had ik het gevoel dat ik uit de gevangenis vrijgelaten werd. Ik wilde ook niet de dienst uitmaken in de wereld. Niet meer, althans. Maar ik had het nooit durven denken, laat staan zeggen.

Op de laatste dag van mijn middelbare school vroeg mijn lerares aan iedereen in de klas wat we onszelf over tien, vijftien jaar zagen doen. Toen ze bij mij aanbeland was, zei ik 'dan ben ik getrouwd, heb ik kinderen en ben ik thuisblijfmoeder'. De lerares en de klas barstten in lachen uit, dus dat deed ik ook maar. Het was voor iedereen zonneklaar dat ik een geintje maakte. Niet alleen ík verwachtte dat ik als machtige carrièrevrouw in het bedrijfsleven of in een overheidsfunctie zou belanden, maar alle anderen ook. Waarom hadden mijn ouders anders voor twee beugels en lessen 'spreken in het openbaar' gedokt?

Later bekende een klasgenootje aan me dat ze echt 'alleen maar' moeder wilde worden. Ze keek erbij alsof ze zich schaamde en ik keek verontwaardigd. Wat een verspilling van zo'n goede opleiding.

Zijn de tijden veranderd? Elke ochtend als ik in de tram naar mijn werk zat, fantaseerde ik over een kindje – niet omdat ik zo graag een brokje geluk helemaal voor mezelf wil hebben, maar omdat ik dan niet meer naar mijn werk zou hoeven. Zelfs de ambitieuze en gedreven Karen van het consultancybureau voor strategisch management had het moederschap gezien als dé snelste weg om uit de ratrace te raken.

Ik weet dat het krankzinnig klinkt om er zelfs maar aan te dénken dat je om die reden een kind zou willen. Ik heb mijn moeder keer op keer horen zeggen dat een kind opvoeden het moeilijkste is wat je ooit te doen krijgt (en het dankbaarste, zegt ze er dan bij als ik gekwetst en mismoedig kijk).

Een van de aantrekkelijke dingen van het moederschap is in mijn ogen dat je dan een kindje krijgt waar niet over te onderhandelen valt en waar je niet je geld voor kunt terugvragen. Ik heb het over het symbolische kindje van mijn vriend Godfrey:

iets om je aandacht op te richten, iets om in te investeren en je de komende twintig jaar zorgen over te maken. Dat zou me het volgende pad in mijn leven opleveren dat ik zonder ook maar een vraag te stellen kon bewandelen. Dat zou me een doel en betekenis geven, om nog maar te zwijgen over slaapgebrek, striae en collegegelden.

Volgens mij valt er wel iets te zeggen voor de beperkingen die je als ouder krijgt opgelegd. Veel boeken over geluk beweren dat we juist ongelukkig worden doordat we veel te veel keuzen hebben. Voor zover ik begrijp wordt je keuzemogelijkheid aanzienlijk beperkt als je kinderen hebt.

In *What Women Want Next* zegt Susan Maushart dat 'de verantwoordelijkheid voor het maken van de juiste keuzen vroeger bij onze vader, echtgenoot en de Kerk lag. Nu hebben we de vrijheid om zelf ons levenspad uit te stippelen, maar we krijgen ook de daarmee gepaard gaande angsten en het schuldgevoel.'

In *De paradox van keuzen* gaat schrijver Barry Schwartz nog een stapje verder door te opperen dat de veelheid aan opties en keuzen er misschien wel de echte oorzaak van is dat er in de ontwikkelde landen zo'n dramatische stijging van klinische depressies te zien is.

Het gaat er niet alleen om dat je kiest of je carrièrevrouw of moeder wilt zijn, of dat je het zelfs allebei probeert, want als ik boeken als *What Color is Your Parachute* of *Be What You Are* lees, word ik overspoeld door de mogelijkheden binnen de mogelijkheden. En ik haat de harde werkelijkheid die luidt dat ik, als ik de verkeerde keuze maak en zelfs niet de beste keuze, het alleen mezelf maar kwalijk kan nemen.

Maar dat gezegd hebbende, ben ik wel blij dat ik in elk geval de vrijheid heb om te ontdekken wat ik leuk vind en dat dan hopelijk ook te kiezen, zoals mijn oma dat niet kon – als zij het niet leuk vond om echtgenote en moeder te zijn, dan was dat gewoon vette pech. Het ging er bij haar niet om dat zij niet ontdekt heeft waar haar hart lag – dat viel gewoonweg niet te ontdekken.

Als ik eraan denk hoe weinig kansen mijn oma heeft gehad, voel ik me een verwend kreng. Ik heb carrièrekansen waar de generatie van mijn oma niet eens van kon dromen, en waar de generatie van mijn moeder hun beha's voor heeft verbrand. En toch, als ik bedenk dat ik de carrièrekansen moet verwezenlijken die deze generaties voor mij mogelijk hebben gemaakt, steek ik nog liever een potlood in mijn oog.

Ik vraag me af of dit soms een van de redenen is waarom het zo'n taboe is om dertiger te zijn en er schoon genoeg van te hebben. Als je een cadeau hebt gekregen waar veertig jaar lang met de hand aan is gewerkt, is het onbeleefd en ondankbaar om het niet aan te nemen. Maar aan de andere kant vraagt Virginia Hausegger, die *Wonder Woman: The Myth of Having It All* schreef, zich af of er geen bonnetje bij dat cadeau zit, zodat je het kunt ruilen. Ze voelt zich een onnozele hals omdat ze het woord van haar feministische voormoeders voor waar heeft aangenomen en omdat ze geloofde dat 'de levensvervulling van de vrouw gepaard ging met een leren aktetas'.

Virginia Hausegger verkeert in goed gezelschap. De onderzoeksorganisatie Catalyst heeft ontdekt dat zesentwintig procent van de vrouwen die in de top van de hoogste managementgeledingen werken, geen promotie wil. Emma had net een promotie binnen haar organisatie afgeslagen. Ze zei dat ze er gewoon geen zin in had, en dat gold ook voor de andere drie vrouwen in haar team, die allemaal gevraagd waren de functie te vervullen en allemaal hadden geweigerd. Al dat vechten tegen de bierkaai zou te veel tijd, te veel stress en te veel inspanning gekost hebben, en ze had gezien wat er met de vorige vrouw gebeurd was die deze functie had bekleed. 'Tegen de tijd dat ze wegging, was ze een wrak,' zei Emma. 'Haar gezondheid had eronder te lijden gehad, haar relatie, en ik dacht: lijkt mij dat wat? Haar leven was één grote hel; er werd niet naar haar geluisterd, ze kreeg geen steun, en toen ze heel emotioneel begon te reageren, was het net alsof ze een gewond lam in de leeuwenkuil was.' Emma zei dat de vrouw maar één ding verkeerd had gedaan, en dat was dat ze niet mannelijk genoeg was geweest. Ze had het spel niet meegespeeld.

Emma had zich ook gerealiseerd dat er een heleboel klootzakken boven haar zaten. 'Ik wil er niet ook een worden,' zei Emma. 'Ze zijn te stom voor woorden. En als ik bedenk hoe die op zo'n positie terecht zijn gekomen, weet ik gewoon dat dat niet gegaan kan zijn zoals het hoort. Het kan gewoonweg niet dat die mensen op grond van hun prestaties uitgekozen zijn, want ze zijn niet goed.'

In *What Women Want Next* schrijft Susan Maushart dat veel vrouwen, ondanks de vooruitgang die onze moeders en grootmoeders hebben geboekt door carrièrekansen voor vrouwen te creëren, eigenlijk vooral minder willen werken. 'Toen we vanaf de zijlijn toekeken, leek het nog ontzettend spannend om de harde tante uit te hangen. Maar van dichtbij, en als het jezelf betreft, is het een spel waarvan we niet eens zeker weten of we het wel willen spelen, laat staan dat we het willen winnen. En als het erom gaat dat we mannen als voorbeeld moeten nemen, laten we dan maar beleefd blijven en zeggen dat dat wat ons betreft ook wel wat minder kan.'

Het onderwerp is zo alomtegenwoordig dat regeringen, advocatenkantoren, banken en grote bedrijven zich er ernstig zorgen over maken dat ze geen vrouwen aan de top weten te houden en ze nu onderzoek naar dat onderwerp laten doen. Mary Lou Quinlan, voormalig directeur van een reclamebureau in New York staat erom bekend dat ze heeft gezegd: 'Het gaat niet om talent, toewijding, ervaring of de *heat* kunnen verdragen. Vrouwen zeggen gewoon: 'Die *kitchen* bevalt me niet.'

Toch vraag ik me af of Lisa Belkin niet slechts het halve verhaal heeft verteld. Ik kan er volledig inkomen dat moeders hun carrière eraan willen geven om alle aandacht aan hun gezin te kunnen besteden – zeker als je statistieken leest die laten zien dat vrouwen met een betaalde baan nog steeds ruwweg tweederde van alle huishoudelijke taken verrichten. Werken én moeder zijn is loodzwaar. Maar ik vraag me af of vrouwen wel stoppen met werken omdat ze een kind willen. Misschien krijgen ze wel een kind omdat ze willen stoppen met werken. Mijn vriendin Jacki, die advocate is en onlangs moeder is geworden, zei tegen me: 'Neem een kind, Kase. Dat is de enige sociaal aanvaardbare reden om te stoppen met werken.'

Jacki heeft door moeder te worden een heel andere kijk op werken gekregen. Ze hoeft niet per se voor altijd fulltime moeder te zijn, maar ze wil ook zeker weten dat het werk dat ze doet zowel voor zichzelf als voor anderen betekenis heeft. 'Ik heb me gerealiseerd dat het gewoon niet de moeite waard is om zo'n groot deel van het leven van mijn kind op te offeren voor een baan waar ik niet echt veel voldoening uithaal.'

Ik heb een beetje rond gevraagd of er nog andere vrouwen waren die anders tegen werken zijn gaan aankijken toen ze eenmaal kinderen hadden. Annabel, de headhunter, heeft me voorgesteld aan haar vriendin Rosa, die hier een heel uitgesproken mening over heeft. Rosa is levendig, grappig en vlijmscherp. Ze is zo iemand die het unieke talent heeft om grove woorden te zeggen op een manier die de taal accentueert en dingen niet alleen maar verachtelijk of laag laat klinken. Toen ik haar ontmoette, had ze een paarse imitatiebontjas aan, en ik mocht haar meteen. Je komt niet iedere dag iemand tegen die genoeg zelfvertrouwen heeft om zich als een Muppet te kleden, en die dat nog staat ook.

Ze was net veertig geworden en beklaagde zich over het feit dat haar leven niet was zoals ze het zich had voorgesteld op haar veertigste. 'Ik wilde slanker zijn en mijn huis afbetaald hebben,' zei ze lachend, terwijl ze op haar bovenbenen sloeg (die niet dik waren) en een pasta marinara met roomsaus bestelde.

Ze heeft een paar kinderen en een man die huisman is, en zelf werkt ze aan grootschalige software-implementaties. Door haar werk in de IT kon Rosa meer geld verdienen, en dat is dan ook de reden waarom zij kostwinner is en haar man thuisblijft bij de kinderen. Haar man is dolblij met de rol van zorgende ouder en heeft haar er onlangs nog voor bedankt dat ze hem de kans heeft gegeven om voor de kinderen te zorgen én om zijn carrière, die hem veel stress, maar geen voldoening bezorgde, te staken.

Voor Rosa kinderen kreeg ging haar werk haar enorm aan het hart. Ze werkte vaak over, werkte in het weekend door en zat voortdurend in de stress over of ze het wel goed deed. Maar nu is haar baan gewoon een bron van inkomsten. 'Ik ben een hoer. Ik werk alleen voor het geld,' zei ze. 'Als het IT-systeem crashte, vond ik dat altijd verschrikkelijk, maar nu kan het me echt geen ruk schelen. Als er iemand flipt omdat de server eruit ligt, denk ik: nou en? Gisteravond had mijn kind koorts.'

Omdat ze niet de luxe heeft dat ze ermee kan ophouden, heeft ze onlangs geprobeerd om een andere baan te vinden, een meer betekenisvolle baan. Ze heeft allerlei mogelijkheden onderzocht, zoals maatschappelijk werkster worden op een school, maar toen ze hoorde hoe slecht die betaald worden, realiseerde ze zich dat ze zich helemaal niet kon permitteren om ergens anders te werken dan in het bedrijfsleven.

Mijn gesprek met Rosa fungeerde als een soort toets inzake mijn fantasie om het moederschap te gebruiken als excuus om uit de tredmolen te stappen. Gezien mijn beroerde financiële situatie zou ik, als ik een kind had, niet verlost zijn van betaalde arbeid; ik zou er alleen nog afhankelijker van worden, en voor nog langere tijd.

Volgens mij was Chris wel blij met dat inzicht; ik geloof niet dat hij er al aan toe is om onze studeerkamer in een kinderkamer om te toveren.

12

Pikloos

Ik was tot de conclusie gekomen dat het er niet toe deed of vrouwen kinderen hadden of niet, en dat het er ook niet toe deed of ze ze wilden of niet, ik had de indruk dat er overal vrouwen waren die er 'schoon genoeg van hadden'.

Ik stuurde een email aan Susan Maushart, de schrijfster van *What Women Want Next*, om haar mening over de situatie te vragen en ze antwoordde: 'Ik vraag me af of het feit dat je werk je niet meer interesseert bewijst dat je een ontwikkelde ziel bent of alleen maar een ontzettend gedesillusioneerde ziel. Of misschien impliceert het een het ander wel!'

Waar ik ook keek, overal zag ik vrouwen met ontwikkelde en gedesillusioneerde zielen. Als ik hun vertelde hoe ik me voelde, zag ik opluchting op hun gezicht – alsof ik hun net toestemming had gegeven om toe te geven dat ze zich ook zo voelden. Daardoor ging ik me afvragen hoeveel mensen er in stilte leden – elke dag met een glimlach op je gezicht op je werk verschijnen, terwijl je vanbinnen doodgaat.

Ik vroeg me af of alleen vrouwen hun werk niet meer zagen zitten of dat dat ook voor mannen gold. Ik had de indruk dat vrouwen veel ontevredener waren dan mannen, maar misschien wisten mannen hun ontevredenheid gewoon beter te verbergen? Barbara Sher denkt dat allebei de seksen er last van hebben. In haar boek *I Could Do Anything If Only I Knew What It Was* beweert ze dat achtennegentig procent van de Amerikanen ongelukkig is met zijn werk. Is het probleem echt zo universeel?

In tegenstelling tot de conclusies van Sher, kwam de Engelse universitair medewerkster Catherin Hakim tot de ontdekking dat vijftig procent van de mannen over zichzelf zegt dat ze voornamelijk op hun werk gericht zijn en prioriteit geeft aan betaalde arbeid, terwijl van de vrouwen slechts twintig procent dat zegt. En volgens een onderzoek van het Australische Social Policy Research Centre kiest tweeëntachtig procent van de mannen die in staat zijn om parttime te werken of die in aanmerking komen voor ander gezinsvriendelijk werk, ervoor om daar geen gebruik van te maken.

Een van de grootste verschillen die ik heb geconstateerd tussen mannen en vrouwen met betrekking tot tevredenheid met hun werk, is hoe ze over overwerken denken. Onder de vrouwen met wie ik gesproken hebt bestaat de algemene consensus dat ze gewoon niet meer zulke lange dagen willen maken, vooral de vrouwen met kinderen niet. Ze vinden het vervelend dat werk zo geniepig is geworden dat er, zelfs wanneer ze niet op kantoor zijn, toch nog van hen wordt verwacht dat ze in functie zijn. Er wordt van hen verwacht dat ze buiten kantooruren nog steeds hun mobiele telefoon opnemen, e-mails lezen en aan netwerkactiviteiten meedoen. Kaye Fallick, schrijfster van *Get a New Life*, zegt dat als je probeert om onderscheid te maken tussen je werk en de rest van je leven 'het net is alsof je de bloem uit de taart probeert te halen als die al gebakken is'.

Maar bij veel mannen die ik ken lijkt het wel of ze klaarkomen op het feit dat ze lange dagen maken, alsof ze zich daardoor belangrijk en onmisbaar gaan voelen. Een van mijn vrienden moet me elke keer dat we elkaar zien per se vertellen dat hij een belangrijk telefoontje verwacht en dat hij dat dan moet opnemen. Hij legt zijn Blackberry heel opvallend op tafel en houdt hem voortdurend in de gaten alsof het de Batmobiel is. Hoe belangrijk kan iemand zijn als hij niet eens met een vriendin koffie kan drinken zonder de telefoon te hoeven aannemen?

Ook al vinden vrouwen het vervelend om over te werken, toch doen de meesten van ons het wel. Ik deed er ook vaak aan mee, maar krimp nu ineen als ik mensen hoor die per se willen vertellen, aan wie het maar wil horen, dat ze in het weekend gewerkt hebben, alsof dat iets is om trots op te zijn is in plaats van een symptoom van scheefgetrokken prioriteiten. Ik zit naast een vrouw die de hele tijd zit te bellen is en dan steeds zegt: 'Ik heb vandaag geen tijd om ernaar te kijken, maar ik ga er vanavond wel mee aan de slag. Of in het weekend.' Dan hangt ze supergestrest en gefrustreerd op en bekreunt zich over het feit dat ze geen leven heeft.

Op een dag vroeg ik haar wat voor gevolgen het zou hebben als ze nee zei en dat ze geen tijd had. Of dat ze die mensen vertelde dat ze het de volgende dag of zelfs volgende week zou doen. Ik breng deze strategie nu al maanden zelf in de praktijk en ik kan eerlijk zeggen dat er maar één gevolg is, namelijk helemaal geen. Lois Frankel van *Opzij! Opzij! Opzij!* zegt zelfs dat het een gigantische vergissing is om op die manier werk aan te nemen, en dat het je carrière ernstig schaadt. Je wekt de indruk dat je niet voor jezelf kunt opkomen of dat je inefficiënt bent. Maar de vrouw die naast me zat zag het heel anders. Ze zei: 'Als ik het niet doe, doet iemand anders het en dan ben ik mijn baan kwijt.'

Ik besloot maar eens met een mannelijke bevriende collega te gaan praten om hem te vragen of hij dacht dat mannen er ook schoon genoeg van hadden. Jamie is ook managementconsultant, werkzaam in de IT en beveiliging. Hij is gedreven, enthousiast en toegewijd, met een waanzinnig mooie glimlach en een indrukwekkende verzameling stropdassen. Ik benijdde de manier waarop hij zich met heel zijn hart in zijn werk leek te storten. Het leek erop of hij het echt belangrijk vond en ervan genoot. Ik wilde weten wat zijn geheim was.

Bij een glas wijn vroeg ik terloops: 'Jamie, heb jij nou nooit het gevoel dat je eigenlijk niet meer naar je werk wilt?' Hij keek me bevreemd aan en zei tot mijn grote verbazing: 'Voortdurend, man.'

Hij zei dat hij alleen maar werkt om de hypotheek te betalen en zijn gezin te onderhouden. Hij vindt het niet meer zo spannend om binnen een bedrijf op te klimmen als toen hij twintiger was, maar hij beschouwt werk als een noodzakelijk onderdeel van het leven en heeft daarom maar besloten er het beste van te maken. 'Het heeft geen zin om te lopen klagen dat ik naar mijn werk moet en mezelf en de mensen om me heen er ongelukkig mee te maken,' zei hij. 'Dus maak ik er maar het beste van als ik er toch ben en haal ik mijn voldoening uit andere aspecten van mijn leven.'

Het verschil tussen Jamie en mij, en veel andere vrouwen die ik gesproken heb, was dat Jamie zich met het lot van de kantoorsleur leek te hebben verzoend en gewoon doorging. Vrouwen zoals ik zijn daarentegen niet erg bereid om werk dat geen voldoening geeft maar als ons lot in het leven te accepteren. We verzetten ons ertegen, we hebben er een hekel aan en we dromen over alternatieven.

Net als Richard de reddingswerker annex consultant heeft Jamie veel lagere verwachtingen van zijn werk dan ik. Geen van beiden lijkt te hunkeren naar het gevoel van betekenis zoals ik, en zij lijken er helemaal niet mee te zitten dat ze de komende dertig jaar vijf dagen per week op hun werk moeten verschijnen.

Ik besloot samen met een andere man nader onderzoek te doen naar het verschil tussen de seksen en stuurde een e-mail naar Nigel Marsh, de schrijver van *Fat, Forty and Fired* en *Observations of a Very Short Man*. Hij was zo aardig me terug te bellen en me te vertellen hoe hij erover denkt.

Nigel Marsh was in de veertig en had er schoon genoeg van, maar in tegenstelling tot veel van de vrouwen met wie ik gesproken had, had hij eerst zijn baan moeten kwijtraken voordat hij over zijn leven ging nadenken. Hij zei dat hij, als hij zijn baan niet was kwijtgeraakt, gewoon was doorgegaan. 'Mannen hebben een crisis nodig voordat ze even pauze nemen en over hun leven gaan nadenken en zich afvragen of ze het eigenlijk wel leuk vinden wat ze doen,' zei hij.

Marsh schrijft het inzicht en waarnemingsvermogen van vrouwen toe aan het feit dat ze de keuze hebben om te stoppen met werken om kinderen te krijgen. 'Vrouwen hebben een ingebouwde carrièrestop waar ze zich niet voor hoeven te generen of zich schuldig over hoeven te voelen,' zei hij. 'Het is sociaal aanvaardbaar voor vrouwen om een tijdje te stoppen met werken. Vrouwen hebben noodgedwongen een natuurlijke en respectabele kans om het leven en wat zij ervan willen te beoordelen.'

Marsh denkt dat het voor mannen anders is omdat het niet cool of macho is om te stoppen en hun leven en wat belangrijk voor hen is eens te inventariseren. 'Als je uit de tredmolen stapt denken mensen dat je soft bent of dat je het niet kunt bolwerken.'

Ik vond het raar om hem dat te horen zeggen. Als ik de middelen had, stopte ik morgen nog met werken. Ik fantaseer er elke dag over, vaste prik. Het was nog nooit in me opgekomen dat iemand zou denken dat ik ermee ophield omdat ik het niet kon bolwerken. In mijn ogen zou het zelfs moedig zijn. Misschien voelen vrouwen zich gewoon ontevredener dan mannen omdat ze in algemene zin meer mogen voelen. Je hoeft *Mannen komen van Mars* en *Vrouwen kunnen geen kaartlezen* niet te lezen om te weten dat mannen van jongs af aan al wordt ontmoedigd om hun gevoelens te tonen, en vrouwen niet.

Op zoek naar antwoorden vroeg ik aan Emma hoe het volgens haar kwam dat vrouwen er veel meer genoeg van lijken te hebben dan mannen. 'Omdat wij geen pik hebben,' zei ze simpelweg. 'Tegen de tijd dat wij de dertig zijn gepasseerd, weten we dat een pik op je werk veel waardevoller is dan intellect, opleiding of toewijding. We zullen nooit het benodigde gereedschap hebben.'

13

Een net meisje doet zoiets niet

Op de allereerste dag van Emma's allereerste baan zei haar baas tegen haar: 'Jammer dat je geen man bent. Ik heb geprobeerd een man aan te nemen, maar ik kon er geen vinden, dus heb ik jou maar genomen.'

Indertijd waren Emma en ik allebei zo naïef en idealistisch dat we dachten dat dit een uitzondering was. Zo ging het er op de werkvloer vast niet meer aan toe. De feministische beweging zou in bijna een halve eeuw tijd toch wel meer bereikt hebben?

In het begin van haar carrière probeerde Emma seksisme te lijf te gaan door gewoon een van de jongens te worden. Als er naar het café gegaan werd, dronk ze bier met hen en als de mannen in de kantine kritiek op iemand leverden, deed ze mee. Ze werd een kei in practical jokes; ze heeft een keer een vent in een kast opgesloten en een andere keer de autosleutels van haar baas in een blok ijs ingevroren, zodat hij pas naar huis kon toen dat gesmolten was. Maar omdat ze te dicht bij de mannen in de buurt kwam, werden ze gewoon dronken en probeerden ze haar te versieren, en toen realiseerde ze zich dat ze nooit een van hen was geweest.

'Ik heb niet meer dagelijks met seksisme te maken, want het is verboden en mensen moeten tegenwoordig heel voorzichtig zijn,' zei Emma. 'Het gaat er nu veel subtieler en geniepiger aan toe; bijvoorbeeld dat van het hele managementteam alleen aan jou wordt gevraagd of je tijdens de vergaderingen wilt notuleren of of je de drankjes wilt inschenken.'

In mijn wereld van managementconsultancy is het seksisme echter niet zo subtiel. Afgelopen jaar kreeg ik nog van een accountdirector te horen dat ik een bepaald project niet kon aansturen, omdat ik 'te jong, te mooi en te vrouwelijk' was. Choquerend, ik weet het – en dan heb ik het er nog niet eens over dat het verboden is. Het lijkt erop dat de wetten in de loop der tijd wel veranderd zijn, maar de werkelijkheid niet. Het ergste van dat voorval met die accountdirector was dat men, toen ik er bij het management over begon, vond dat ik me gevleid had moeten voelen, alsof ik net een persoonlijk complimentje had gekregen, en niet een professionele belediging.

Laten we eerlijk zijn, de vooruitgang op het gebied van gelijkheid tussen de seksen is uitermate langzaam verlopen. En we weten allemaal dat seksuele discriminatie en ongewenste intimiteiten niet alleen maar door wetgeving en lippendienst zijn verdwenen.

Een paar jaar geleden vertelde een mannelijke collega me dat ik betere klanten kreeg dan hij doordat ik blond was en grote borsten had. Ik liet het maar passeren, want ik wist dat het schadelijker voor mijn carrière zou zijn dan voor de zijne als ik er een klacht over indiende. Een paar maanden later kneep diezelfde collega me tijdens het werk in mijn kont, greep me bij mijn borsten en vroeg mijn toenmalige vriendje of hij me voor seks aan hem wilde uitlenen. Dit keer diende ik wel een klacht in. Ze gaven me het gevoel dat mijn reactie overdreven was, en de smeerpijp werd uiteindelijk naar een leidinggevende functie bevorderd.

In BOSS *Magazine* werd een vrouw met een hoge functie in een professioneel dienstverleningsbedrijf aangehaald, die zei dat er nog steeds een onderliggend idee bestaat bij mannen in het bedrijfsleven dat luidt dat succesvolle vrouwen dat aan toeval of gelukkige timing te danken hebben. Toen ik te horen kreeg dat de directeur van ABC Company een vrouw was, had ik niet verbaasd of onder de indruk moeten zijn. In het ideale geval hoort het geslacht van een directeur er net zomin toe te doen als zijn of haar haarkleur. Maar ik ben me er nu terdege van bewust, door bittere ervaring, dat de kansen niet gelijkelijk verdeeld zijn.

Emma zegt dat een van de grootste belemmeringen voor carrièrekansen voor vrouwen is dat vrouwen die ons kunnen steunen gestopt zijn met werken om kinderen te krijgen. 'Geen van mijn coaches werkt nog,' zei ze. 'Als de juiste persoon in de juiste vergadering zegt dat je een kanjer bent, kan dat wel eens van doorslaggevende betekenis zijn voor je carrière. Mannen steunen hun vrienden. Zelfs als ik promotie had gewild, dan zaten alle vrouwen die me eventueel hadden kúnnen steunen thuis met hun kinderen.'

De beste kans die wij hebben om in deze mannenwereld toch nog iets te bereiken is door meer op een man te lijken. Elke keer dat ik ons kantoor binnenloop doe ik me anders voor dan ik ben – en dan bedoel ik niet alleen dat ik mijn vaardigheden en kwaliteiten opblaas, maar ik meet me ook een voorgewende persoonlijkheid aan. Ik speel voortdurend de rol van de carrière-Kasey: professioneel, serieus, ernstig en conservatief. Het is dodelijk vermoeiend, en ik ben niet de enige die dat doet. Volgens een onderzoek, uitgevoerd door Hewlett-Packard en de Simmons School of Management, denkt negenentachtig procent van de ondervraagde vrouwen dat ze dat moeten doen om succes te hebben in hun werk.

Ik dacht echt dat het me vrij goed afging, totdat ik *Opzij! Opzij! Opzij!* van Lois P. Frankel las. In dit boek staat een opsomming van honderd dingen die vrouwen op hun werk doen waarmee ze hun werkimago saboteren en als gevolg daarvan ook hun carrière belemmeren. Ik stond ervan te kijken hoeveel carrièrebelemmerend gedrag ik tentoonspreidde.

De keuken opruimen was bijvoorbeeld een groot struikelblok. Het schijnt dat er boven elke gootsteen in elke keuken op elke werkplek ter wereld een bordje hangt dat mensen sommeert hun eigen vaat af te wassen en die niet in de gootsteen te laten staan. Toch stond er overal waar ik ooit gewerkt heb steevast vuile vaat in de gootsteen. Nou ben ik echt bij lange na geen toonbeeld van properheid. Mijn flat is eigenlijk altijd een soort rampgebied, en ik mag van geluk spreken dat Chris een van de hoogste rotzooidrempels heeft die voor een mens mogelijk zijn. Maar ik baal er echt ontzettend van dat er een ongeschreven wet schijnt te zijn die bepaalt dat hoe hoger je functie is, hoe meer rotzooi je voor andere mensen kunt laten liggen, die die dan wel voor je opruimen. Alsof een manager het te druk heeft en te belangrijk is om zijn kopje in de vaatwasser te zetten. Ik heb medelijden met zijn secretaresse, om nog maar te zwijgen over zijn vrouw. Geen enkele werknemer zou ooit de vaat van de lunch van zijn baas moeten hoeven afwassen. Dat lijkt me toch een grondrecht van de mens. Dus op mijn werk ruim ik niet alleen altijd mijn eigen troep op, maar ik voel me ook geroepen om de arme receptioniste of secretaresse te helpen die elke dag de troep van anderen moeten opruimen.

Maar sinds ik Frankels boek gelezen heb, weet ik dat afwassen voor andere mensen mijn 'imago' schade toebrengt. Ik word daardoor als een ondergeschikte gezien, en niet als een gelijke. Ik begon mijn imago te beschermen door net zoveel rotzooi te maken als mijn meerderen en leeftijdgenoten en me net zo egoïstisch te gedragen als zij. Dus voortaan als ik langs de keuken loop en een berg vaat zie staan, kijk ik gewoon de andere kant op en loop ik door. Aan de buitenkant draag ik mijn professionele masker, maar vanbinnen voel ik me een egoïstische hork.

Toen ik laatst een van de vrouwen uit mijn team erop betrapte dat ze de vaatwasser inruimde, gaf ik haar te verstaan dat ze daar ogenblikkelijk mee moest ophouden en zei ik haar dat ze zichzelf en andere vrouwen daar een slechte dienst mee bewees. Nu staat er nog meer vaat in de keuken die de receptioniste moet wegwerken, en voel ik me dubbel zo egoïstisch.

Aangezien mijn imago van carrière-Kasey serieuzer, minder eerlijk, minder emotioneel en veel mannelijker is dan ik van nature ben, is het een ontzettend moeilijk evenwicht. Als ik te mannelijk ben, krijg ik het etiket 'keihard kreng' opgeplakt, maar als ik te soft ben, vinden ze me incapabel. Deze mate van onauthentiek gedrag is dodelijk vermoeiend, en of het nu het een of het ander is, ik weet gewoon dat ze me nooit zo goed zullen vinden als een man.

De aanwezigheid van seks en porno op het werk is ook een reden waarom vrouwen voor altijd buitengesloten zullen blijven. Ik heb een keer een klus gedaan waarbij mijn bureau voor het kantoor van de leidinggevende stond. Ik weet niet of hij zich niet realiseerde dat ik zijn computerscherm kon zien of dat het hem gewoon niks kon schelen, maar ik zag hem dag in dag uit over het net surfen op zoek naar porno. Hij had een voorkeur voor SM. Niet dat ik nou zo preuts ben – ik heb vroeger in Amsterdam gewoond en heb daar meer seksshows bezocht dat ik kan tellen (ik zal die show met het gorillapak, de banaan en de vibrator nooit vergeten... maar dat is weer een heel ander verhaal), maar vrouwen op het werk tot object maken is naar mijn mening volstrekt onaanvaardbaar.

Een andere organisatie waar ik voor heb gewerkt hield regelmatig vergaderingen in een striptent. Ik heb heel wat tieten en konten gezien. De eerste keer was ik echt diep geschokt. Daarna ben ik er waarschijnlijk gewend aan geraakt dat de eikenhouten vergadertafel werd vervangen door een ander soort tafelblad.

Ik had in die tijd een fabrikant als klant en was de enige vrouw in het project. Op het laatste moment werd de locatie van de vergadering verplaatst van de fabriek naar een locatie in de stad – onder het mom dat we dan een 'werklunch' konden houden. Dat was een interessante terminologie, want er stonden beslist geen broodjes op tafel.

Stel je eens voor hoe bizar het is om deadlines en budgetten te bespreken terwijl er naakte vrouwen op tafel ronddraaien. Ik wist niet waar ik moest kijken; als ik omhoogkeek, had ik het gevoel dat ik geil naar de borsten van de vrouwen loerde en als ik omlaagkeek, had ik het gevoel dat ik geil naar de erecties van mijn collega's loerde. Het volgende dilemma was of ik een fooi moest geven of niet. Ik wilde een vette fooi geven om de vrouwen te steunen, en het beleid van ons bedrijf luidde dat we fooien als toegestane zakelijke uitgaven konden declareren, maar ik wist niet goed waar ik het geld moest laten. Ik vond het niet kunnen dat ik geld achter de jarretelgordel van een andere vrouw stopte.

Ik ben er nooit achtergekomen of mijn collega's me nou mee naar die striptenten namen om me te choqueren en de spot met me te drijven of dat ze gewoon deden wat ze altijd deden en ze zich er niet druk over wilden maken wat ik daarvan zou vinden. Na een tijdje raakte ik gewend aan de 'werklunches', maar ik was me er altijd zeer van bewust dat ik als enige vrouw in de ruimte met kleren aan nooit als hun gelijke beschouwd zou worden.

14

Vrouwen en gezondheid

Ik vind het vervelend om ten overstaan van een vreemde mijn kleren uit te trekken, vooral als die vreemde een dokter is. Ik weet dat ze alles al duizend keer gezien hebben en dat het hun werk is. Maar ik weet zelf dat ik op mijn werk ook niet altijd even professioneel ben – zelfs als ik er vanbuiten professioneel uitzie, kunnen mijn gedachten wel eens afschuwelijk ongepast zijn. Daarom voel ik me, elke keer dat ik voor een dokter mijn kleren uittrek, ongemakkelijk. Ik weet gewoon dat ze mijn onvolkomenheden monsteren. Ik geloof niet dat ik onzekerder ben dan een ander, maar laten we wel wezen: niemand ziet er in het fluorescerende licht van de spreekkamer op zijn voordeligst uit.

Mijn onzekerheid raakte stevig verankerd toen ik voor een uitstrijkje naar de dokter ging. Hij was vermoedelijk begin dertig en keek nog zenuwachtiger dan ik toen ik hem verteld had waarvoor ik kwam.

Tot mijn grote afgrijzen zag ik dat zijn handen beefden en dat het zweet op zijn voorhoofd parelde toen hij met de instrumenten in de weer was. Het was echt heel ongemakkelijk en gênant. Dus toen deed ik wat ik altijd doe als ik me geneer: ik voerde een beleefd, nietszeggend gesprekje. Hij leek opgelucht door mijn poging hem op zijn gemak te stellen.

Een paar dagen later ging ik terug om de uitslag te horen. Alles was in orde, maar hoewel hij me best aardig leek, besloot ik toch voor de volgende keer een andere dokter te zoeken. Een uur later ging mijn mobiele telefoon. De dokter aan de lijn. Of ik met hem uit wilde.

Ik wíst het wel! Ik wíst wel dat ze niet altijd even professioneel waren. Hij zat aan heel andere dingen te denken dan of mijn baarmoederhals wel gezond was. Het viel me ook op dat hij me pas mee uit vroeg toen hij de uitslag al had en dus had gezien dat ik niks onder de leden had.

Ik ben met hem uitgegaan. Het was een vergissing (je meent het!), want ik heb me de hele tijd ongemakkelijk gevoeld over het feit dat hij meer van mij gezien had dan ik van hem. Meestal wordt het ongemakkelijke gevoel als je je voor het eerst uitkleedt getemperd door het feit dat dat wederzijds is. Dat hij me als eerste naakt op de onderzoekstafel had gezien, terwijl hij al zijn kleren aanhad en gewapend was met een eendenbek en een wattenstaafje, was van een ongelijkheid die me te ver ging.

Tegenwoordig ga ik alleen nog naar vrouwelijke artsen. Mijn gynaecoloog is een toffe meid. Ze heeft een garderobe waar ik een moord voor zou plegen en een superontspannen manier van doen. Soms heb ik als ik bij haar ben het gevoel dat ik een van mijn vriendinnen in vertrouwen neem, in plaats van dat ik bij een medisch specialist op consult ben.

Ik besloot een afspraak met haar te maken – niet alleen omdat ik de jaarlijkse controle al twee jaar had overgeslagen, maar ook omdat ik haar wilde vragen of er soms een medische reden was dat ik het als dertiger helemaal gehad had. Ik hoopte dat er een biologische verklaring voor mijn crisis was. Als het een medisch probleem was, was er mogelijk ook een medische oplossing. En gezien het feit dat Emma en ik allebei tegelijkertijd in onze crisis waren geraakt, en we in leeftijd maar twee maanden van elkaar scheelden, dacht ik dat onze lichamen misschien een nieuwe stof waren gaan aanmaken of zo – een stof die met een speciaal dieet of met wat pillen onderdrukt kon worden.

Dokter Lucy hielp deze theorie met een opgetrokken wenkbrauw en een onderdrukte lach naar de andere wereld.

Toen ik haar spreekkamer binnenliep, zag dokter Lucy er zoals altijd uit als een model dat de voorjaarsmode showde; haar hippe groene jurk deed haar lange rode haar dat tot op haar rug hing prachtig uitkomen. De muur achter haar bureau hing vol met geboortekaartjes. Toen ik bij vijftien was, stopte ik met tellen en voelde ik een traan mijn oog in sluipen – niet omdat ik broeds was, maar omdat elk kaartje een kind, een mensenleven, vertegenwoordigde dat zij ter wereld had geholpen. Wat was er betekenisvoller dan dat? Als je het nou over werk had dat voldoening gaf, dan spande dat van Lucy wel de kroon.

Lucy vindt haar werk leuk, altijd gevonden ook. Ze had alleen een hekel aan alle onzin die ze moest doorlopen voordat het eenmaal zover was. In haar specialisatie, verloskunde en gynaecologie, maken mannen de dienst uit. Ze vertelde dat ze ontzettend haar best had moeten doen om een opleidingsplaats te krijgen en dat ze daarna echt elke stap had moeten bevechten. In het begin had ze van de mannelijke poortbewakers in haar vak te horen gekregen dat ze er maar beter meteen mee kon ophouden, omdat het haar toch nooit zou lukken. Het was dodelijk vermoeiend geweest en als ze niet zo vastberaden was geweest en zo'n sterke wil had gehad had ze het waarschijnlijk opgegeven. Ik ben blij dat ze dat niet gedaan heeft.

Lucy denkt dat dat de belangrijkste reden is waarom vrouwen er schoon genoeg van hebben. Het is gewoon veel te zwaar om steeds maar tegen mannelijke structuren, conventies en vooroordelen te blijven vechten. Voor veel vrouwen is het gewoon de moeite niet.

Ze zei dat de biologische klok waarschijnlijk ook een rol speelt. De wetenschap dat de tijd qua kinderen krijgen begint te dringen dwingt alle vrouwen om na te denken, in elk geval heel even, over wat er nou belangrijk is in hun leven.

Mijn moeder is op haar vijfendertigste in de overgang geraakt, dus als ik op erfelijke aanleg moet afgaan, is mijn uiterste vruchtbaarheidsdatum veel eerder aangebroken dan ik zou willen. Dat gezegd hebbende denk ik niet dat mijn crisis van de dertiger die het helemaal gehad heeft daardoor is ontstaan – en als dat wel het geval is, was ik me er niet van bewust.

Ik weet niet waar die crisis wel door onstaan is. In tegenstelling tot die van Nigel Marsh is die van mij niet op gang gebracht door een crisis of een bepaalde gebeurtenis. Ik wou dat ik een betere verklaring had, maar ik kan eigenlijk niks beters bedenken dan dat het gewoon gebeurd is.

15

Wij vrouwen

Het zou niet eerlijk zijn om alleen mannen maar de schuld te geven van de ontevredenheid van vrouwen op hun werk, zeker aangezien wij vrouwen zelf onze ergste vijand kunnen zijn. Ik heb vrienden, mannen, die grotere feministen zijn dan ik zelf ben en die al zo veel blankemannenschuldgevoel meetorsen dat ik daar niet nog een schepje bovenop hoef te doen.

Ik schrik voortdurend van het aantal passief-agressieve of regelrecht krengerige vrouwen dat ik in mijn werk tegenkom. Ik wijt dit aan het feit dat ze ontzettend hard hun best hebben moeten doen om die positie te bereiken en dat ze niet meer weten hoe ze moeten ophouden met agressief en defensief doen – en dan heb ik het er niet eens over dat ze niet weten hoe ze die destructieve praatjes moeten staken waar wij elkaar mee dwarszitten. Ik wil ze wel eens door elkaar schudden en roepen: 'We zijn bondgenoten van elkaar, hoor!'

Emma heeft vroeger met een vrouw gewerkt die echt de kroon spande. Die briefde persoonlijke informatie over mensen uit haar team door aan de rest van de organisatie met als doel ze als zwak af te schilderen. Toen een vrouw op een baan in Emma's team solliciteerde, kwam de roddeltante naar Emma toe om te zeggen dat de kandidaat niet genoeg ervaring had voor de baan. Toen Emma haar advies in de wind sloeg, verspreidde ze het gerucht dat de vrouw in het verleden prostituee geweest was.

Als wij vrouwen de eenheid en loyaliteit hadden die de homobeweging kenmerkt, denk ik dat we allemaal een stuk beter af zouden zijn. Als we de handen ineensloegen in plaats van onderling te kiften was de kans veel groter dat we discriminatie konden afschaffen, de slechte omstandigheden voor werkende moeders konden verbeteren en op de golfbaan konden netwerken. Waarom realiseren vrouwen zich niet dat we, als we elkaar ondermijnen, onszelf schaden, omdat het juist de mannen zijn die van ons gedrag de vruchten plukken? Je kunt mannen er moeilijk de schuld van geven dat ze alle macht hebben als wij ze door ons eigen disfunctionele gedrag nóg meer macht geven. En dan heb ik het er niet eens over dat elke dag naar je werk gaan een stuk leuker zou zijn als we wat aardiger tegen elkaar zouden zijn.

Elke vrouw weet dat onze vriendinnen een van de grootste en betrouwbaarste bronnen van steun, troost en geluk in ons leven zijn. Wat is het dan tragisch en stom dat het ons zo veel moeite kost om deze vriendelijkheid en solidariteit ook op ons werk te laten gelden.

16

Niks te doen, behalve neuken

Toen ik voor een nieuw project naar een andere stad werd gestuurd, was ik tijdelijk verlost van de saaiheid en sleur van mijn baan. Ik moest elke maandagochtend om zes uur de rodeogenvlucht hebben en vloog dan vrijdagmiddag om zes uur weer terug. Vreemd genoeg zeiden de mensen die elke week dezelfde vlucht namen geen woord tegen elkaar als ze in de lounge zaten te wachten of in het vliegtuig. Elke week zaten tijdens die twee vluchten precies dezelfde mensen in het vliegtuig, maar toch deden we allemaal of we elkaar niet herkenden.

De verveling van elke dag naar hetzelfde kantoor gaan, aan hetzelfde bureau zitten, naar dezelfde verschoten afbeelding aan de muur kijken, uit dezelfde beker met een scherfje eraf drinken, werd jammer genoeg alleen maar vervangen door de verveling van eenzame hotelkamers en in je eentje moeten eten. De glamour van de zakenreis!

Voor ik zelf voor mijn werk begon te reizen vond ik mensen die over zakenreizen klaagden ongelooflijke zeikerds. Ze vlogen de hele wereld over, logeerden in prachtige hotels, konden net zo veel bij roomservice bestellen als ze maar wilden en lekker pornofilms bekijken die dan heel discreet onder het kopje 'service' op de rekening verschenen. En toch vonden ze het nodig om te klagen.

Zo'n zeikerd was ik ook geworden.

Alle opwinding en glamour waren wel van het zakenreizen af. Toen ik in Europa werkte, was ik voortdurend op reis. Het eerste anderhalf jaar was fantastisch. Ik kwam op plekken waar ik normaal gesproken nooit in m'n eentje naartoe zou gaan, zoals Rusland en de Baltische Staten, en ik heb fantastische mensen ontmoet en fantastische dingen gezien. Ik vond het heel leuk om met mensen die daar woonden te praten en hun mening over van alles en nog wat te horen, van het huwelijk en de politiek tot de etiquette inzake het voor twaalf uur 's middags wodka drinken.

Op de tiende verjaardag van het moment waarop ze de Russen er uitgezet hebben was ik in Polen, en ik vond het fascinerend om te horen hoe de mensen daar erover dachten. Ik vroeg aan mijn collega in welk opzicht het leven sinds de val van het communisme veranderd was. Hij zei: 'Onder het communisme had iedereen genoeg geld, maar was er niets te kopen. Nu is alles te koop, maar heeft niemand er geld voor. Vertel jij me maar wat beter is.' Ik vroeg aan de vrouw die in het personeelsrestaurant de zuurkool stond op te scheppen wat haar indruk was, en zij zei: 'Onder het communisme had iedereen brood.' En de hippe gast van de IT zei: 'Godzijdank. Ik zou niet weten wat ik zonder breedband zou moeten.'

Maar na een tijdje kreeg ik toch het gevoel dat ik overal al geweest was en alles al had gezien. Nu vind ik reizen voor mijn werk saai en vervelend, en vermoeiend, onhandig en eenzaam op de koop toe. En het komt er in de praktijk toch op neer dat je zelden iets anders te zien krijgt dan het vliegveld, het kantoor en je hotelkamer. Sommige consultancybedrijven sturen hun consultants met opzet naar klanten in een andere stad, omdat ze dan harder werken. Als je 's avonds niets te doen hebt, is er geen enkele reden om van kantoor weg te gaan, dus hebben mensen de neiging om er langer te blijven – want het is dat óf je klem zuipen in de hotelbar en iemand zoeken om een wip mee te maken.

Ik heb het nog nooit met een collega gedaan op zakenreis, maar ik heb er wel alle kans toe gehad. Ik vond het vroeger altijd vleiend, maar nu word ik er alleen nog maar kwaad om. Ik vind het verschrikkelijk als een man een uitstekende werkrelatie of zelfs een vriendschap om zeep helpt, louter en alleen omdat hij in een andere stad zit en zich verveelt. Maar de eerlijkheid gebiedt mij te zeggen dat er ook genoeg vrouwen zijn die iets (of iemand) zoeken voor 's avonds.

Ik kwam op een avond in een hotelbar een oude klant tegen. Susan was heel slim, heel professioneel en een beetje hooghartig. Een blonde stoot op stevige stappers – het klassieke bibliothecaressentype. Ik wist niets over haar privéleven. We hadden het altijd alleen maar over werk gehad, maar toen ze me een drankje aanbood, greep ik de kans om die avond met iemand te kunnen praten met beide handen aan. Eén glas werd een fles, en een fles werden er twee.

Na een paar stevige glazen schoof de professionele Susan dichter naar me toe en legde haar arm om me heen. Ze begon over mijn benen te wrijven. Ik dacht dat ze mijn panty wilde voelen, dus ik vertelde haar van welk merk die was en dat ik er bijna nooit een ladder in kreeg. Maar ze bleek meer in de inhoud van mijn panty geïnteresseerd te zijn. Dat werd bevestigd toen ze me bij mijn borsten greep en me in mijn hals begon te zoenen. Ik probeerde onze lichamen te ontwarren zonder een scène te schoppen, maar ik had het gevoel dat alle ogen in de bar op ons gericht waren. Susan probeerde op te staan om nog iets te drinken te bestellen, maar ze gleed uit en maaide alle glazen en flessen van de tafel. Overal wijn en glasscherven. De barkeeper wees naar de deur, ten teken dat we moesten vertrekken.

Susan kon bijna niet meer op haar benen staan en ik betwijfelde of ze in deze toestand nog in staat was om terug te gaan naar haar hotel. Er zat niets anders op dan haar naar haar hotelkamer te brengen. Ik hield een taxi aan – die Susan vervolgens onderkotste, wat mij vijftig dollar reinigingskosten opleverde – en we gingen naar haar hotel. Toen we door de lobby liepen, begon Susan haar kleren uit te trekken. Ik probeerde haar nog tegen te houden, maar had het te druk met haar overeind houden en de kleren van de grond oprapen. Tegen de tijd dat we bij haar kamer waren, was ze vanboven naakt.

Zodra we in haar hotelkamer waren, trok ze de rest uit en ging ze spiernaakt voor me staan. Niets. Ik voelde niets. Het enige waar ik aan kon denken was dat ze minder cellulitis had dan ik. Rotwijf.

Mijn competitieve gedachten werden onderbroken toen ik eraan dacht dat mijn broer Michael tegen me had gezegd dat ik een afranseling moest hebben. Dit was dé kans om me buiten mijn comfortzone te begeven en buiten de beperkingen van mijn eigen verwachtingen en die van alle andere mensen. Susan had geen zweep in haar hand, maar een lesbische ervaring kon er vast ook wel mee door als kans op persoonlijke ontwikkeling. En ik zou straks ook een fantastisch verhaal hebben om aan mijn vrienden te vertellen. Bi zijn leek me waanzinnig cool.

Maar ik kon het niet. Ik kon het gewoon niet. Susan mocht dan nog zo geil en cellulitisloos zijn, ik raakte er gewoon niet opgewonden van. Ik vond het ook een beetje opportunistisch om met een dronken vrouw te experimenteren in de hoop dat ik daarmee uit mijn toestand van ontevredenheid verlost zou worden. Op dat moment realiseerde ik me dat ik niet alleen een dertiger was die er klaar mee was, nee, ik was ook zo hetero als maar kon.

Ik verzette me tegen de kussen en tastende handen van Susan en bracht haar naar bed. Toen ging ik terug naar mijn hotel, alleen en enigszins teleurgesteld over de gemiste kans.

Ik zag Susan de volgende dag toen ik in het vliegtuig terug stapte. Ik zwaaide onhandig naar haar en liep toen snel door. En jawel hoor, ze zat naast me. Dat had ik weer. Hoe kreeg ik het zo uitgemikt? Ik dacht dat ze zich wel zou generen. Dat deed ík in elk geval wel. Maar ze leek er niet mee te zitten. Ze zei dat ze zich niet meer alles van de avond ervoor kon herinneren en informeerde terloops of er tussen ons iets voorgevallen was. Ik zei van niet, en zij zei: 'Jammer.' Ze keek teleurgesteld. Wat kunnen mensen je soms toch verbazen.

17

Wedergeboren idealisten

Toen ik Julie pas kende, keek ze altijd kwaad naar me. Ze was tien jaar ouder dan ik en stond één rang hoger dan ik in ons consultancybedrijf. Ik had haar al afgeschreven als zo'n passief-agressieve vrouw die andere vrouwen verloochende. Onder normale omstandigheden zou ik de e-mail die werd rondgestuurd om bekend te maken dat ze ermee stopte gewoon gedeletet hebben, maar toen ik las dat ze wegging om 'laterale carrièrekansen' te ontplooien, was ik toch geïntrigeerd. Wat wilde dat zeggen?

Julie bleek op te houden met de consultancy om bij een chemisch ingenieursbedrijf te gaan werken dat zich voornamelijk bezighield met milieuverontreiniging. Het bedrijf was eigendom van haar partner. Ze had hem ontmoet toen ze in haar eentje een zeiltocht over de Stille Zuidzee maakte. Sindsdien had haar partner geprobeerd haar over te halen om voor zijn bedrijf te komen werken, maar dat had ze steeds geweigerd omdat ze het niet met haar baas wilde doen. Uiteindelijk was ze dan toch overstag gegaan.

De belangrijkste reden waarom ze het roer omgooide was dat ze het niet leuk genoeg meer vond. Ze had altijd bespottelijk lange dagen gemaakt, was niet goed door de organisatie gesteund en wilde gewoon iets doen wat ze leuker vond. 'Mijn tijd is kostbaar en daar ben ik in mijn huidige baan niet verstandig mee omgegaan,' zei ze.

Het frustreerde haar dat ze weinig invloed had op het werk dat ze deed. 'Mijn normen en waarden en de manier waarop ik een bijdrage wil leveren stroken niet met de organisatie,' zei ze. 'De belangrijke mensen zijn te commercieel gericht en interesseren zich er niet voor om de klant voordelen en kwaliteit te leveren.' Met als gevolg dat ze geen respect voor die bazen had.

De lange dagen, de stress en het gebrek aan steun op haar werk ondermijnden haar gevoel van eigenwaarde en haar gezondheid. Ze viel af en sliep en at slecht. Als iemand iets aardigs tegen haar zei barstte ze vaak in tranen uit, en tegen andere mensen deed ze kattig. Ze was slaappillen en angstremmers gaan slikken en haar zelfvertrouwen was tot onder nul gedaald.

'Ik wist dat mijn werk me ziek maakte, want verder ging alles in mijn leven goed,' zei ze.

Toen was een vriend van haar geheel onverwacht aan een hartaanval gestorven. 'Hij was net zo oud als ik,' zei ze. 'Toen ik aan zijn graf stond, realiseerde ik me dat ik geen dag langer wilde besteden aan werk dat ik niet leuk vond.' De volgende dag nam Julie ontslag.

Ze zegt dat ze nu naar mensen glimlacht in plaats van fronst, en dat ze te horen krijgt dat ze wel een ander mens lijkt. Het gaat Julie er nu om dat ze het zichzelf naar de zin maakt door te doen wat goed voor haar is, en niet wat goed is voor haar werkgever of voor haar carrière. 'Nu doe ik wat belangrijk is in mijn leven, en niet wat belangrijk is voor mijn werk,' zei ze.

Als Julie haar carrière opnieuw mocht doen, zou ze niet meer zo hard werken. Ze wil nooit meer voor een organisatie werken die haar niet echt aan het hart gaat. Ze wil alleen nog maar voor organisaties werken met fantastische mensen in de leiding, in een team waarvan ze kan leren, maar dat ze ook kan helpen beïnvloeden, en met waarden die de hare zijn.

Aan het eind van het gesprek bedankte ze me ervoor dat ik haar de gelegenheid had gegeven om over haar gevoelens over haar werk en haar carrière na te denken en er lucht aan te geven. Ik vond het naar dat ik haar op grond van onze eerste kennismaking had beoordeeld en wist nu dat die boze blik niets over mij zei; ze was gewoon doodmoe en vreselijk ongelukkig met hoe ze het grootste deel van haar dag doorbracht, en dat dag in dag uit. Misschien had ik het wat draaglijker voor haar kunnen maken als ik wat meer begrip en steun had getoond.

Ik zag bij Julie een terugkeer naar idealisme. Ze wilde voor een organisatie werken waarin ze kon geloven, met betrekking tot het werk dat gedaan werd en de mensen met wie ze er samenwerkte.

Ik werd zelf ook idealistischer, maar durfde dat pas toe te geven toen ik me realiseerde dat andere mensen er net zo over dachten. In mijn jeugd was ik pijnlijk idealistisch en moralistisch geweest en had ik nog veel meer met mijn oordeel klaargestaan dan nu. Ik zou de wereld gaan redden en niet zo'n beetje ook. Ik wilde ontzettend graag weer iets doen wat me aan het hart ging en waar ik in kon geloven – iets waar ik over na kon denken en naartoe kon werken. Ik had een zaak, een project, een missie nodig – iets wat groter was dan ikzelf. Ik had Godfreys symbolische kindje nodig.

Het lijkt wel alsof er een overvloed aan dertigers is, onder wie ikzelf, voor wie de cirkel rond is: begonnen als idealistische tieners, toen ze twintiger waren en iets van zichzelf probeerden te maken de weg kwijtgeraakt, en nu ze dertiger zijn keren ze terug naar idealen en dingen die betekenisvol zijn.

Mijn vriendin Jacki, de advocate annex thuisblijfmoeder, heeft aan Harvard gestudeerd met veel voormalige investeringsbankiers, voormalig consultants en voormalige accountants, die weer zijn gaan studeren om een andere carrière op poten te zetten waar ze meer voldoening uit kunnen putten. Sommigen wilden na hun studie voor een NGO gaan werken en anderen hoopten met hun zakelijke kwaliteiten iets voor de derde wereld te kunnen betekenen. Een andere vriendin van me heeft net haar baan bij een consultancybedrijf opgezegd om voor World Vision te gaan werken. Ze had er schoon genoeg van om haar portemonnee te spekken ten koste van haar ziel.

Rachel is ook een wedergeboren idealist. Voordat ze met zwangerschapsverlof ging hebben we samengewerkt, dus ik was heel verbaasd toen ik hoorde dat deze überambitieuze carrièrevrouw zo veranderd was. 'Ik ben niet meer iemand voor het bedrijfsleven,' zei ze. 'Ik wil niet meer elke dag in een mantelpak naar de stad moeten.'

Ze geeft toe dat ze niet echt het type van de thuisblijfmoeder is. 'Ik moet iets doen,' zei ze. 'Het moederschap alleen is verschrikkelijk saai. Ik moet nog iets anders doen dan alleen maar moeder zijn. Maar als ik niet bij mijn kind ben, moet ik wel iets doen wat de moeite waard is. Als ik mijn tijd niet besteed aan de verrijking van zijn leven, moet ik op z'n minst het leven van iemand anders verrijken.'

Het interesseert Rachel niet meer hoeveel geld ze verdient of hoeveel macht of prestige er aan haar baan verbonden is. 'Ik wil ook niet meer die lange dagen maken,' zei ze. 'Ik wil mijn hersenen gebruiken en iets betekenen voor de samenleving. Ik wil deel uitmaken van de maatschappij.'

Voordat Rachel een kind kreeg was ze niet zo maatschappijgericht. Nu ze moeder is en veel meer bij de maatschappij betrokken is, realiseert ze zich hoe waardevol die is. Ze is wel weer in de consultancy gaan werken, parttime, maar ze wil liever een baan waarbij ze iets aan de samenleving terug kan geven. Ze zegt dat andere moeders er ook zo over denken.

'Er bestaat een gigantisch netwerk van vrouwen die enorm getalenteerd zijn en die allemaal iets willen doen wat ertoe doet,' zei ze. 'Als je dat netwerk op de een of andere manier bij elkaar weet te krijgen zou je fantastische dingen tot stand kunnen brengen. Ik weet alleen niet hoe het moet. En deze vrouwen dóén dingen. Geef een moeder iets te doen en het gebeurt ook.'

Ik vroeg haar of ze gelukkiger is nu ze moeder is. 'Ik ben rijker,' zei ze. 'Ik heb nu meer dimensies in mijn leven en het heeft meer betekenis. Ik weet nu wat de zin van het leven is. Dat gaat om dingen doorgeven. Het belangrijkste wat ik kan doen is een goede nalatenschap creëren door mijn zoon zo goed mogelijk groot te brengen.'

18

Je droom wordt werkelijkheid

Ik zocht een rijke erfgenaam – iemand met een trustfonds, zodat hij niet hoefde te werken – om mijn theorie te bekrachtigen dat het antigif voor de dertiger die er schoon genoeg van had er niet alleen maar uit bestond dat je moest ophouden met werken. Ik kon geen rijke erfgenaam vinden – ik zit niet zo in de kringen van het oude geld. Maar ik vond Peter.

Peter was zijn carrière begonnen als elektrisch ingenieur, maar was op de internetgolf gesprongen toen die aan vaart won. Hij had er een paar jaar op meegesurft en was er uitgestapt voordat die te pletter sloeg, met de bijbehorende smak geld. Peter heeft nu zo veel geld dat hij niet hoeft te werken.

Peter brengt zijn tijd door met leren surfen, gliden en met zijn vliegbrevet halen. Elke nieuwe hobby houdt hem een paar weken van de straat en dan heeft hij er weer genoeg van.

Deze man kende geen verplichtingen in zijn leven. Gewapend met tijd, geld, jeugd en gezondheid kon hij doen wat hij wilde. Van een afstandje gezien leek het te mooi om waar te zijn. Ik heb dagen, misschien zelfs weken van mijn leven verspild met over deze situatie te fantaseren. Had ik maar zo veel geld dat ik niet hoefde te werken, dan zou ik gelukkig zijn. Iedereen heeft er toch wel eens over gedroomd dat hij de jackpot wint en verder vrij is?

Maar Peter was allesbehalve vrij. Hij voelde zich geketend door de overdaad aan mogelijkheden. Hij was gefrustreerd, ongelukkig en boos. 'Ik zit in een luchtbel en ik weet niet hoe ik eruit moet komen,' zei hij. 'Ik kan alles doen wat ik wil, maar ik weet niet wat ik moet doen.'

Ik vroeg wat er dan mis was met wat hij nu deed – waarom kon hij niet gewoon doorgaan met nieuwe sporten leren en plezier maken? Zodra hij surfen en vliegen onder de knie had kon hij andere sporten gaan doen of zelfs wat iets artistieks gaan doen. Er waren toch duizenden leuke dingen die hij kon doen? Maar Peter wilde meer dan alleen maar plezier en vrijheid; net als wij was hij op zoek naar een doel en naar betekenis. 'Leren surfen en leren vliegen is uitdagend, maar die dingen geven me niet het gevoel dat ik gewaardeerd word en nodig ben,' zei hij.

'Ik wil weten dat wat ik doe belangrijk is. Toen ik nog werkte, kreeg ik van mijn baas en mijn team te horen dat ik het goed deed. Dat was goed voor mijn zelfvertrouwen.'

Peter heeft overwogen om een oud huis te kopen en dat te verbouwen. 'Het zou leuk zijn om iets met mijn handen te doen, maar ik weet nu al dat het precies zo gaat als met surfen: het is voor een tijdje leuk en dan heb ik het weer gehad.'

Waarom zoekt hij dan niet weer een baan waarin hij leiding kan geven aan een team, en feedback en bevestiging krijgt? Daar had hij het ook mee gehad. Het zag ernaar uit dat Peter meer voldoening uit werk putte toen hij móést werken. Nu hij niet meer hoefde te werken was het voor hem erg moeilijk om zichzelf ertoe te zetten. Wat een paradox. Peter vond het leuk om te werken als hij daartoe genoodzaakt was. Nu hij de keus had om wel of niet te werken haalde hij er geen voldoening uit. Zo te horen werd Peter ongelukkig van precies datgene waarnaar ik streefde, namelijk niet meer hoeven werken.

Ik vergeleek Peters benarde situatie met mijn vriend Jamie –

de vriend die zijn werk niet leuk vond, maar wist dat hij moest werken om voor zijn gezin te zorgen, zodat hij er maar het beste van maakte. Jamie had een doel voor wat hij dag in dag uit deed: voor zijn gezin zorgen. Dat betekende dat niet alles wat hij op zijn werk deed hem blij hoefde te maken, want het grotere doel – zijn gezin – maakte zijn werk toch wel de moeite waard.

Elke dag naar je werk gaan om voor je prachtige gezin te kunnen zorgen is nobel en betekenisvol. Ik kon me eigenlijk geen betere reden voorstellen om elke dag je bed uit te komen. Peters financiële vrijheid betekende dat hij eigenlijk nooit echt een reden had om zijn bed uit te komen – behalve dan misschien om op tijd te zijn voor zijn surfles. Door het gesprek met Peter werd me duidelijk dat plezier en vrijheid niet gelijkstaan aan voldoening.

Ik opperde dat hij misschien een doel moest zoeken dat boven hemzelf uitsteeg en dat langduriger was dan de kortstondige genoegens van sport en hobby's. Een kindje. Hij moest iets hebben dat hem aan het hart ging.

Peter was het met me eens en dat was zijn grootste probleem – hij had geen idee wat zijn kindje zou kunnen zijn. Hij wist niet eens waar hij het zou moeten zoeken. Om alles nog ingewikkelder te maken was Peter niet bereid om compromissen te sluiten; hij was niet van plan om met minder dan volledige voldoening genoegen te nemen. 'Ik wil alleen het allerbeste,' zei hij.

Ik had de indruk dat Peter op zijn 'roeping' wachtte – een openbaring waardoor hij zijn reden van bestaan zou ontdekken, zoals sommige mensen geboren zijn om moeder of geestelijke te worden, of zoals mijn broer Michael, die zeker wist dat hij geboren was om muzikant te zijn. Het lijkt me heerlijk om dat zo helder te weten, maar voor zover ik weet is dat voor de meeste mensen niet weggelegd.

Ik zag een man voor me die best zijn hele leven kon blijven

zoeken naar zijn volmaakte kindje en die met hobby's en grillen afleiding kon zoeken voor zijn ongelukkig-zijn en zijn leegte, terwijl ondertussen het leven aan hem voorbijging. 'Misschien maakt het niet uit wat jouw kindje is,' opperde ik. 'Misschien is het proces van iets koesteren en ontwikkelen veel belangrijker dan het echte ding waar je je op richt. Waarom kies je niet iets uit en waag je het er gewoon op?'

Peter zag mijn voorstel niet zitten, dus toen vroeg ik hem hoe hij dan van plan was het allerbeste te vinden. 'Ik begin gewoon met wat dingen te proberen,' zei hij. 'Beweging, in welke richting ook, is beter dan stilstaan.' Maar hij zei ook dat hij zich op dat moment zo gefrustreerd en boos voelde dat hij zich helemaal nergens toe kon zetten.

Mocht ik nog getwijfeld hebben, dan heeft het gesprek met Peter me ervan overtuigd dat werken van essentieel belang is voor mijn welzijn en voor het zijne. Talloze onderzoeken naar geluk wijzen uit dat mensen die werken een groter gevoel van welbevinden kennen dan mensen die niet werken. Martin Heidegger onderbouwt dit met de bewering dat 'werk de eerste plek is waar mensen in hun leven betekenis vinden en creëren, en dat is een van de redenen waarom mensen het zo graag willen doen'.

Ik realiseerde me dat mijn ontdekkingsreis niet meer over de waarde van werken versus niet-werken ging, maar over het juiste soort werk vinden (en dan valt een kind opvoeden ook onder mijn definitie van werken). Van alle mensen die ik tot nog toe gesproken had, maakte ik me de meeste zorgen om Peter. Fascinerend, want van de buitenkant gezien zou je zeggen dat Peter het gemaakt heeft. Zijn droom was werkelijkheid geworden, en een nachtmerrie gebleken.

19

Misbaar, niet relevant en bevrijd

Ik krijg wel eens betaald om niets te doen en dat vind ik een verschrikking.

In de consultancy heb je een concept dat 'de bank' heet. Dat komt het dichtst in de buurt van Peters situatie. De bank lijkt een beetje op bij een voetbalwedstrijd op de bank zitten: je zit nog wel in het team, maar je bent op dat moment even niet nodig. Als je geen klant hebt, zit je op de bank. Je krijgt nog wel betaald, maar eigenlijk zit je alleen maar te wachten tot er een opdracht komt. Wat je doet als je op de bank zit, hangt af van het bedrijf waarvoor je werkt. Sommige mensen moeten gewoon elke dag naar hun werk en zitten dan het grootste deel van hun tijd op internet te surfen, terwijl ze bij andere bedrijven helemaal niet naar kantoor hoeven te komen.

Je denkt misschien, nou, dat lijkt me wel wat, op de bank zitten. Toen ik net in de consultancy begon, leek het mij ook te mooi om waar te zijn – en ik had gelijk. De bank is een ramp. Het is een week leuk, want dan werk je je achterstallige privéadministratie weg en ga je naar de kapper, maar daarna ga je eraan onderdoor. Het is niet alsof je vakantie hebt, want je kunt niet aan het knagende gevoel ontsnappen dat je eigenlijk hoort te werken en je bijdrage hoort te leveren. Dat ellendige arbeidsethos ook altijd.

En omdat je aan niks of niemand een bijdrage levert, krijg je ook geen feedback of bevestiging. Kortom, je hebt het gevoel dat je niet nodig bent. Maar het ergste vond ik nog wel dat het zo eenzaam was. De gesprekken die ik op een dag voer gaan voor een groot gedeelte over werk. Als ik niet aan een project bezig ben, heb ik niemand om mee te praten, behalve dan wat korte opmerkingen bij de waterkoeler.

Mijn ervaring op de bank doet me des te sterker beseffen dat ik er geen genoeg van heb om iets te doen. Ik wil nog steeds presteren en ik wil nog steeds het gevoel hebben dat ik een bijdrage lever. En ik ben eigenlijk ook nog steeds ambitieus. Maar ik ben ambitieus met betrekking tot iets anders. Ik wil een bijdrage leveren aan iets en ergens succes in hebben dat voor mij van betekenis is. Veel mensen die ik gesproken heb zijn het daarmee eens. Óf ze weten een belangrijk project dat ze liever zouden doen dan hun huidige baan, als ze het zich zouden kunnen permitteren, óf ze proberen er een te vinden. Het lijkt erop dat slechts heel weinig mensen niet willen werken – we willen alleen geen betekenisloos of stressvol werk doen of werk waar we geen voldoening uit halen.

In *I Could Do Anything, If Only I Knew What It Was* zegt Barbara Sher dat het van cruciaal belang is voor ons geluk dat we iets vinden wat betekenis heeft, niet alleen in ons werk, maar ook in onze vrije tijd. Zij denkt dat we nooit gelukkig zullen zijn als we alleen maar leuke dingen doen en ze raadt dan ook af om permanente vakantie als levensdoel te kiezen, zelfs als je gepensioneerd bent. Van iedereen die ik gesproken heb en die een hekel heeft aan zijn werk, dromen interessant genoeg maar heel weinig mensen van een leven van nietsdoen als alternatief. Begrijp me dus niet verkeerd: ik propageer geen ledigheid. Toen het net tot me doorgedrongen was dat ik er klaar mee was, was ik bang dat ik alleen maar lui was. Maar ik weet vrijwel zeker dat het daar niet om gaat. Ik gruw van de gedachte dat ik mijn leven rond *Days of Our Lives* en praatprogramma's moet plannen.

Barbara Sher zegt dat we, om betekenisvol werk te vinden, moeten begrijpen wat het verband is tussen doen wat we leuk vinden en iets doen wat de moeite waard is, iets wat betekenis heeft.

Ik ben opgevoed met de gedachte dat als je iets deed wat betekenisvol of waardevol was, dat altijd voor anderen was, en dat er hoogstwaarschijnlijk ook een persoonlijk offer aan te pas kwam. Als je iets alleen maar voor jezelf deed, was dat in de ogen van mijn moeder regelrecht egoïstisch. En dat was natuurlijk het ergste wat er bestond, egoïstisch zijn, zeker als je een vrouw was. Egoïstisch zijn was zelfs nog erger dan drugs verkopen aan kleuters of verkeerde kleuren bij elkaar in de wasmachine stoppen.

Sodemieter toch op. Barbara Sher is het met me eens. Ze zegt dat Picasso en Einstein niet per se iemand met hun werk probeerden te helpen; ze deden gewoon iets wat ze leuk vonden en wat belangrijk voor hen was. Hun motivatie was persoonlijk en egocentrisch, maar met wat daaruit voortkwam leverden ze wel een enorme bijdrage aan de wereld. 'Het gaat er niet om dat je kiest tussen iets voor jezelf of iets voor anderen doen; het is eerder hetzelfde – om het een te doen moet je het ander doen,' zei ze.

Ik neem aan dat dat is wat Julie, de consultant die ontslag nam om in de milieubescherming te gaan werken, deed toen ze bij het chemisch ingenieursbureau ging werken. Ze doet zichzelf een plezier door werk te doen dat ze leuk vindt en ze helpt ook nog eens mee de milieuverontreiniging tegen te gaan. Zowel Chris als mijn broer Michael doet zichzelf een plezier door voor de kost te schrijven – de een woorden, de ander muziek –

en toch schenken ze de wereld allebei schoonheid en inzicht.

Dat mag dan zo zijn, maar we hebben niet allemaal de mazzel dat we op de Stille Zuidzee verliefd worden op een chemisch ingenieur met milieubescherming als missie, zoals Julie. En niet iedereen kan kunstenaar zijn, zoals Michael en Chris. Niet iedereen heeft het talent, de wil of bevindt zich in de luxepositie om zo te kunnen leven. Wat carrièreboeken ook beweren, de realist in mij zegt dat een aanzienlijk deel van de mensen gewoon geen andere keus heeft dan zwaar, monotoon, betekenisloos werk te doen om in leven te blijven.

Nigel Marsh zal zeggen dat zwaar, monotoon werk niet betekenisloos hoeft te zijn. In *Fat, Forty and Fired* schreef hij dat zijn belangrijkste taak als directeur van een reclamebureau was om zijn werknemers het gevoel te geven dat ze iets deden wat betekenisvol was.

Echt waar? In mijn ogen bestaat de belangrijkste taak van een directeur eruit om de waarde voor de aandeelhouder te verhogen en een groeipercentage van twee cijfers te bewerkstelligen. Ik vond het een heel edelmoedige bewering van hem, maar wel erg ongeloofwaardig, dus vroeg ik hem om uitleg.

'Veel directeuren geven leiding op basis van angst,' zei Marsh. 'Ze zeggen tegen hun personeel: "Jullie moeten huur betalen, dus jullie hebben deze baan nodig, dus ik ga jullie echt kei- en keihard laten werken, zodat ik weer een beetje rijker word." Dat is echt verwoestend voor iemands ziel.'

Marsh zegt dat werk zo niet hoeft te zijn. 'Een goede leidinggevende kan betekenis geven aan het werk van zijn werknemers. Betekenis kan tot stand gebracht worden door een gezamenlijk streven of een gezamenlijk doel. Je kunt bijvoorbeeld de concurrentie willen verslaan, de eerste willen zijn, iets op een andere manier willen doen of een traditie in stand willen houden.'

Hij gaf me het voorbeeld van een baan bij een busbedrijf. 'In plaats van tegen mensen te zeggen dat dit het enige busbedrijf in de stad is waarvoor ze kunnen werken, dus dat ze zich gedeisd moeten houden en door moeten werken, kan een goede leidinggevende de werknemers helpen inzien dat ze heel waardevol werk doen, namelijk dat ze ervoor zorgen dat er openbaar vervoer in een stad is.'

JFK schijnt net zo over leidinggeven gedacht te hebben als Marsh. Betekenisvol leidinggeven wordt als een van de belangrijkste redenen beschouwd waarom het NASA Space Program in de jaren 1960 zo succesvol was. De andere verklaring voor deze gigantische prestatie had iets te maken met een Disney-filmstudio. Het verhaal gaat dat het JFK zo goed gelukt was om een gezamenlijk doel te formuleren dat hij, toen hij een rondleiding bij NASA kreeg, een conciërge de hand schudde en vroeg wat hij voor werk deed. De conciërge antwoordde: 'Zorgen dat de eerste mens op de maan komt, meneer.' Zorgen dat de eerste mens op de maan komt was een veel betekenisvollere bezigheid voor de conciërge dan elke dag op je werk verschijnen om rommel op te ruimen.

Ik wil graag denken dat deze strategie van leidinggeven meer is dan alleen maar de werknemers met retoriek manipuleren. En Marsh zegt er ook bij dat het heel belangrijk is dat de leidinggevende het zelf echt gelooft. Hij zei: 'We kunnen niet allemaal Moeder Theresa zijn en de wereld veranderen, maar stel je eens voor wat een verschil het zou maken als al onze leiders een iets hoogstaander doel hadden.'

Het is een leuke gedachte, maar ik vraag me af of het genoeg is om een baan waar je geen voldoening uit put te veranderen in een baan waar je wel voldoening uit put. In mijn ogen is de gedachte dat je onmisbaar bent nog zo'n kankergezwel op het concept van betekenisvol werk doen. Dat is ook zoiets wat tussen de tijd dat ik een ambitieuze twintiger was en nu een ontevreden dertiger, is veranderd. Vroeger dacht ik dat ik onmisbaar was – ik deed zulk belangrijk werk en de kennis die ik had vergaard was zo uniek dat het project zonder mij geen enkele kans van slagen had. Bittere ervaring heeft me geleerd dat ik ongelijk had.

Ik heb genoeg mensen bij organisaties zien komen en gaan om te weten dat het er niet zo veel toe doet welke kont op die stoel zit, want dingen gaan toch gewoon door. Of niet.

Emma zei dat ze toen ze jonger was dacht dat ze belangrijk was voor het bedrijf en dat er naar haar geluisterd moest worden. Inmiddels weet ze dat de organisatie waarvoor ze werkt zich geen bal voor haar interesseert. 'En waarom zouden ze ook?' zei ze. 'Bedrijven interesseren zich niet voor mensen, maar alleen voor de omzet. Als wij geld voor ze verdienen zijn ze blij. Verdienen we geen geld voor ze, dan lig je eruit.'

Emma's houding is veranderd nadat het bedrijf waarvoor ze werkt gereorganiseerd is en een heleboel mensen heeft wegbezuinigd. Sommigen hadden zich enorm voor het bedrijf ingezet, maar toen alles veranderde en ze niet meer nodig waren, konden ze vertrekken. 'Als je eenmaal gezien hebt hoe mensen wegbezuinigd worden, realiseer je je dat werk niet gaat over voldoening geven aan iemands leven of over hoe je een beter mens wordt. Zolang er vijftig triljoen mensen zijn zal het nooit over individuen gaan. Als je dat eenmaal begrijpt, ben je er klaar mee. Zodra je je realiseert dat jij hun niets kan schelen, kunnen zij jou niets meer schelen.'

Omstreeks dezelfde tijd ontmoette ik op een feestje een vent die als medisch onderzoeker werkte en die zich net zo betekenisloos voelde. Hij was bezig met vaccinatie en preventie. Ik zei: 'Goh, wat moet zulk werk veel voldoening geven.' Hij antwoordde: 'Nee. Niet echt. Er zijn over de hele wereld zo veel mensen met precies hetzelfde bezig dat het er niet echt toe doet wat ik doe.' Hij zei dat hij, doordat hij weet dat als hij het onderzoek niet doet, iemand anders het wel doet, of het waarschijnlijk al aan het doen is, zich afvraagt waarom hij zich er eigenlijk nog druk over maakt.

In *Affluenza* heeft Oliver James het over werknemers die gereduceerd worden tot gebruiksartikelen die gekocht worden door organisaties en die net zo gemakkelijk door een ander kunnen worden vervangen. 'In hoeverre deze manier van denken als vanzelfsprekend wordt aangenomen zie je aan de naam Human Resources. Vroeger heette dat personeelszaken. De nieuwe naam geeft aan dat de mensen die voor het bedrijf werken niet te onderscheiden zijn van de computers, apparaten of financiële diensten die het bedrijf koopt en verkoopt.'

Het besef dat ik misbaar ben en er eigenlijk niet toe doe werkte op een vreemde manier wel bevrijdend voor me. Het betekende dat ik niets hóéfde te doen. Ik realiseerde me dat mijn bron van betekenis persoonlijk kon en moest zijn. Ik kon mezelf bevrijden van alle verwachtingen van ouders of maatschappij over wat ik hoorde te doen, aangezien de wereld er toch niet op zat te wachten dat ik dat deed. Er waren, net zoals bij de medisch onderzoeker op dat feestje, genoeg andere mensen die konden doen wat er van mij verwacht werd.

Dat besef bevrijdde me en stelde me in staat om iets te gaan zoeken wat voor míj belangrijk was, net zoals de egoïstische Einstein of de egoïstische Picasso dat had gedaan.

20

Niet genoeg

Sonia had een betekenisvolle baan. Ze was een belangrijke persoon in het leven van kinderen, maar toch moest ze op zondagavond al huilen bij de gedachte dat ze maandag weer naar haar werk moest.

Sonia was al elf jaar docent. Ze vond lesgeven leuk en had de ambitie om plaatsvervangend schoolhoofd te worden. Ze had fantastische coaches en collega's die er dezelfde normen en waarden en visie als zij op nahielden; mensen die lesgaven omdat ze het leuk vonden en die het beste met de kinderen voor hadden.

Sonia had geen last van de lage sociale status en waarde die aan onderwijzers worden toegedicht, want ze voelde zich gewaardeerd door haar leerlingen. 'Als ik elk jaar in het leven van één kind iets kan betekenen, dan was het de moeite waard,' zei ze. 'Er komen nog steeds kinderen bij me langs die al jaren van school af zijn. Het contact blijft, dus ik weet dat mijn invloed verder reikt dan alleen het klaslokaal.'

Ik begreep er niks van. Het klonk mij in de oren als het hoogste goed: een baan die betekenisvol was, die ze leuk vond, met carrièrekansen en collega's die ze aardig vond en respecteerde. Hoe kon het nou dat al die hokjes bij haar afgevinkt waren en dat ze nog steeds last had van de zondagavondblues?

Sonia was lichamelijk en emotioneel uitgeput. 'Lesgeven is stressvol en slopend,' zei ze. 'Het doet er niet toe of je leuke kinderen of lastige kinderen hebt. Kinderen slopen je niet. Het slopende is dat je als leraar altijd bezig bent. Er zijn dagen dat ik niet eens tijd had om naar de wc te gaan. En dan zat ik thuis ook nog eens elke avond na te kijken. Zelfs als ik dat nakijkwerk niet deed, dan liet het me nog niet los. Dan voelde ik me schuldig omdat ik het niet deed.'

Als Sonia niet nakeek waren haar avonden, weekends en vrije dagen gevuld met rapporten schrijven, administratie en voorbereiding. En daar kwam dan nog bij dat ze te maken kreeg met onrealistische eisen van ouders. Ze was zelfs een paar keer fysiek bedreigd door ouders. Ze voelde zich wel gesteund door de school, maar het was toch een traumatische ervaring. 'Als het werk nou alleen bestond uit wat je in de klas deed, waar je alleen kinderen les hoefde te geven, dan zou ik het tot mijn zestigste zijn blijven doen,' zei Sonia.

Toen ze haar man leerde kennen, realiseerde ze zich dat ze niet meer elke dag zo moe en gesloopt van haar werk thuis wilde komen. 'Ik kon doordeweek niets meer doen, doordat ik zo moe was.' Ze wilde dingen met haar man kunnen doen, maar ze had er de tijd of de emotionele energie niet voor.

Haar baan zat zelfs haar huwelijksaanzoek in de weg. Sonia's man boekte een vakantie om haar ten huwelijk te vragen, maar moest de vluchten en het hotel wijzigen doordat zij rapporten moest schrijven.

Sonia probeerde het probleem op te lossen door op een andere school te gaan werken. Ze ging van een grote school in de stad naar een kleinere school in de provincie, in de hoop dat ze minder gestrest zou zijn en meer energie zou hebben. Dat was niet zo. Sonia zag al helemaal voor zich hoe ze in een neerwaartse spiraal van ongelukkig-zijn vast zou komen te zitten. Ze begon aan te komen, waardoor ze zich nog ongelukkiger en vermoeider voelde. 'Ik realiseerde me dat mijn relatie er op een gegeven moment ook onder zou gaan lijden,' zei ze.

Ik vroeg Sonia waarom ze het niet wat rustiger aan deed en ervoor zorgde dat de druk wat minder werd. Als ze niet meer elke avond nakijkwerk wilde doen, hóéfde dat toch vast niet? Als ze niet meer in het weekend en op vrije dagen voorbereidingswerk wilde doen, dan deed ze het toch gewoon niet?

Maar het was wel duidelijk dat Sonia er de persoon niet naar was om als docent gewoon in en uit te klokken. Haar leerlingen gingen haar echt aan het hart, dus ik vermoed dat ze niet alleen elke avond correctiewerk mee naar huis nam, maar ook de stress en de emotionele zorgen. Ze vertelde me over een van haar leerlingen die zelfmoord had gepleegd. 'Hij kwam naar mijn kamer om met me te praten, maar ik was er niet,' zei ze. 'Een paar dagen later pleegde hij zelfmoord. Zijn moeder kwam op de begrafenis naar me toe om met me te praten. Ze herinnerde zich me nog van een oudergesprek. Ze heeft iets van twintig minuten met me gepraat en zei dat hij het altijd over me had. Ze nodigde me uit om bij hen thuis de wake bij te wonen. Ik was de enige die ze hadden uitgenodigd die geen familie was.'

De tranen sprongen Sonia in de ogen, en mij ook. Die van mij waren bestemd voor de arme jongen die het gevoel had dat hij geen keuzemogelijkheden had, en voor mijn moeder die blijkbaar hetzelfde had gevoeld toen ze zich in mijn appartement had geprobeerd te verhangen. Maar mijn tranen waren vooral voor Sonia bestemd. We zullen nooit weten of de jongen vandaag nog onder ons geweest was als Sonia die dag dat hij bij haar langskwam op haar kamer was geweest, en ook al was het onredelijk dat Sonia zo veel verantwoordelijkheid op haar schouders nam, toch ontroerde het me dat ze zich zo betrokken voelde.

'Ik wou dat ik het gewoon wat rustiger aan had kunnen doen,' zei ze. 'Maar als ik lesgeef ga ik er helemaal in op, en op een andere manier kan ik het niet. Ik kan alleen maar voor de volle honderd procent lesgeven. Er zat niks anders op dan weg te gaan.'

Sonia is zich in andere carrièrekansen gaan verdiepen, zoals een bed & breakfast beginnen, of een chocolaterie. Toen een vriendin opperde dat ze een boekwinkel moest beginnen, besloot ze dat eens te proberen en vond ze een parttime baan in de plaatselijke boekwinkel om de branche te leren kennen en te kijken of ze het leuk vond. Ze werkte in het weekend in de boekwinkel en gaf doordeweek les, totdat ze genoeg zelfvertrouwen had om de sprong te wagen en ze haar eigen boekwinkel opende.

Sonia's boekwinkel is niet zomaar een winkel waar je boeken kunt kopen. Het is een educatieve omgeving. Ze gebruikt haar onderwijskwaliteiten in haar winkel, bijvoorbeeld door nieuwsbrieven te schrijven en workshops voor klanten te geven. Ze houdt elke maand een workshop voor ouders over kinderen en lezen en ze wil ook examentrainingen voor scholieren gaan geven.

'Slechts zevenenvijftig procent van de ouders leest zijn kinderen dagelijks voor. Daar wil ik mijn steentje aan bijdragen,' zei ze. 'Ik heb nog steeds het gevoel dat ik invloed kan uitoefenen. Ik heb meer dan vijfhonderd trouwe klanten uit de regio en via de boekenclub en workshops heb ik het gevoel dat ik hetzelfde doe als toen ik lesgaf.'

Sinds Sonia niet meer lesgeeft en haar boekwinkel is begonnen is ze gelukkiger en gezonder. 'Mijn man zegt dat ik veel rustiger en relaxter ben en dat ik in staat ben om 's avonds de knop om te zetten,' zei ze.

'Ik kom een stuk blijer thuis, omdat ik niet meer aan de winkel denk zodra ik de deur achter me dicht heb getrokken. Drie dagen per maand moet ik 's avonds aan de boekhouding en de administratie werken, maar verder heb ik alle avonden en weekends vrij. Ik heb door de week mijn tijd en mijn energie weer terug.'

Maar er zijn nog wel een paar stresspunten in Sonia's leven. De belangrijkste stress ligt op financieel gebied. Ze zijn min of meer teruggevallen op één inkomen. 'Ik vind het vervelend dat ik een heel inkomen aan onze relatie onttrek, maar mijn man is gelukkig dat ik gelukkig ben.'

De boekwinkel draait op het moment quitte, maar Sonia is wel zo realistisch dat ze weet dat ze de winkel, als hij geen geld gaat opleveren, zal moeten sluiten. 'Ik geef het nog twee jaar, en als ik er dan geen renderend bedrijf van heb weten te maken, moeten we het zinkende schip verlaten en iets anders gaan doen. Ik hoef niet heel veel geld te verdienen. Als ik hetzelfde salaris uit de winkel weet te halen als ik met lesgeven verdiende, ben ik al blij.'

Sonia weet heel goed dat ze de winkel alleen maar kon beginnen doordat haar omstandigheden dat toelieten. 'We konden het ons veroorloven omdat we geen kinderen hebben,' zei ze. 'Ik heb het geluk dat ik een man heb die bereid en in staat is om me te steunen terwijl ik dit risico neem.'

Toen ik van Sonia's boekwinkel naar huis reed, begon ik weer te huilen. Wat had ik ooit in mijn carrière gedaan om iets te betekenen in het leven van een ander, zoals Sonia dat had gedaan? Wanneer ben ik belangrijk geweest voor iets anders dan de jaarcijfers van een bedrijf?

Ik was vastbesloten om een betekenisvolle tijdsbesteding te vinden. Maar na mijn gesprek met Sonia realiseerde ik me dat betekenis alleen niet genoeg is. Sonia had een betekenisvolle baan, maar werkte zo hard en was zo betrokken dat ze er bijna aan onderdoor ging. Zij had niet alleen betekenis, maar ook balans nodig.

21

Wake-up call

Emma belde toen ik onderweg was naar mijn tweede sollicitatiegesprek bij ABC Company. Ik was helemaal met mijn gedachten bij het gesprek, dus liet ik haar doorschakelen naar mijn voicemail, waarmee ik de schok van wat ze me te vertellen had uitstelde tot na het gesprek.

Het gesprek ging goed. Ik werd bijna twee uur lang aan de tand gevoeld over verandermanagementtheorieën door een heel slimme, heel ervaren en ietwat excentrieke consultant. Ik vond dat intellectuele sparren wel leuk, vond dat ik stand had gehouden en ging vol zelfvertrouwen weer weg.

Terwijl ik het gebouw uit liep, luisterde ik Emma's boodschap af. Ze zei alleen dat ik terug moest bellen, maar de toon van haar stem bezorgde me al de rillingen. Ik had Emma nog nooit eerder zo bang horen klinken. Ze is de meest evenwichtige, veerkrachtige persoon die ik ken. Op de ergste momenten van haar leven is ze altijd kalm en filosofisch. Ik wist dat er iets goed mis moest zijn.

Emma en ik hebben samen op de middelbare school gezeten. We waren wel even oud, maar zij zat toch een klas hoger. Ik ben onze hele schooltijd lang bang voor haar geweest. Ze was een van die coole kinderen die altijd met de mooie meisjes omgingen en ik was een nerd. Terwijl zij achter het fietsenhok stond te roken, zat ik met het debatingteam in de bibliotheek. Maar tegen de tijd dat we gingen studeren, realiseerde ik me dat we niet zo heel anders waren – zij was alleen naar meer nachtclubs geweest voordat het ons wettelijk was toegestaan om alcohol te drinken dan ik.

Toen Emma van school ging, heeft ze eerst een jaar op de pedagogische academie gezeten. Ze dacht dat ze lerares wilde worden, totdat ze haar eerste praktische opdracht moest doen en erachterkwam dat ze kinderen helemaal niet leuk vond. Het jaar daarna schakelde ze over op dezelfde communicatiestudie die ik deed. En toen hebben we de vriendschapsband gesmeed die sindsdien stand heeft gehouden.

Toen mijn familie uit elkaar viel, was Emma er voor me. Toen mijn relaties verkeerd afliepen, was Emma er voor me. Toen ik zo depressief was dat ik het gevoel had dat ik net zo goed dood kon zijn, was Emma er voor me. Ze heeft me alles geleerd over solidariteit van vrouwen onderling, over wimperkrultangen en bruinsprays, ze heeft me ervan overtuigd dat ik Toffee moest kopen, mijn hond, en ze heeft me kennis laten maken met erotische literatuur en vibrators.

Toen ze zei: 'Ik heb misschien baarmoederhalskanker,' stond ik met mijn mond vol tanden.

Ze was voor een algehele controle naar de dokter geweest, omdat ze maar bleef afvallen en al meer dan twee maanden griep had. De dokter nam bloed af, ze moest urine inleveren en hij maakte een uitstrijkje. Daaruit bleek dat er prekankercellen in een gevorderd stadium in haar baarmoederhals zaten. Uitstrijkjes staan erom bekend dat de uitslagen vaak onjuist zijn, dus de dokter waarschuwde haar dat sommige van die cellen wel eens kwaadaardig konden zijn. Hij stuurde haar naar dokter Lucy, de hippe gynaecoloog, voor nader onderzoek.

Baarmoederhalskanker wordt veroorzaakt door het humana papillomavirus (HPV) en is de op één na meest voorkomende vorm van kanker bij vrouwen. Als je lichaam de infectie niet kan bestrijden, kunnen de afwijkende cellen zich in je baarmoederwand verder ontwikkelen. Deze afwijkende cellen kunnen prekankercellen en daarna kankercellen worden. In de meeste gevallen duurt dit proces jaren, maar in Emma's geval slechts een paar maanden. Ze had een jaar geleden nog een uitstrijkje laten maken, en daarvan was de uitslag normaal geweest. Maar nu waren die prekankercellen dus al in een gevorderd stadium, en dat betekende dat ze, als ze al geen kankercellen had, die elk moment kon krijgen.

De test die dokter Lucy deed gaf dezelfde uitslag: prekankercellen in een gevorderd stadium in de baarmoederhals. Emma moest een biopsie van de baarmoederhals laten doen, zodat er een nadere diagnose kon worden gesteld.

Ze moest wachten tot ze geopereerd kon worden, en dat was een verschrikking. Het duurde maar twee weken, maar het leken wel twee jaar. Na de eerste schrik van de uitslag van het uitstrijkje was Emma weer in haar bekende filosofische stand geschoten, en hield ze vol dat het geen zin had om je zorgen te maken. Ik was daarentegen een stuk minder kalm. Elke keer dat ik haar sprak stelde ik me de gulzige celletjes voor die haar van binnenuit opvraten, tot er helemaal niets meer van haar over was.

Emma bleek gelijk te hebben: zorgen maken had geen zin en was niet nodig. De biopsie toonde aan dat de cellen nog niet kwaadaardig waren geworden en dat ze zich ook niet buiten de baarmoederhals hadden verspreid. Dokter Lucy had al die rotzakjes tijdens de biopsie kunnen verwijderen.

Maar hoe kwam Emma nu aan HPV? De meest voorkomende oorzaak is seks zonder condoom. Ze kan het best opgelopen hebben van de condoomloze seks met dat gespierde leeghoofd dat van geen ophouden wist. Maar het kan ook zijn dat het virus jarenlang latent in haar lichaam aanwezig is geweest en pas na haar periode van non-stop feesten actief is geworden, toen haar afweersysteem er gewoonweg niet meer tegen kon. Wie had kunnen denken dat de prijs van Emma's dertigerscrisis zo hoog zou zijn?

Maar dat neemt niet weg dat ze ongelooflijk veel geluk heeft gehad. Ze was er met een biopsie en een paar weken in de rats zitten relatief goed vanaf gekomen. Als HPV niet op tijd was gediagnosticeerd hadden ze uiteindelijk misschien haar baarmoeder moeten verwijderen en had ze chemo moeten ondergaan. Nu kwam ze weg met een fenomenale ziekenhuisrekening en de overtuiging dat ze schoon schip moest maken.

Dokter Lucy zei dat ze wel gezond moest blijven om haar afweersysteem op te vijzelen en ervoor te zorgen dat het virus niet terugkwam. Ze stuurde Emma naar een arts die gespecialiseerd was in postoperatieve gezondheid en chronische vermoeidheid. Hij zei dat ze een klassiek postviraal geval was: haar afweersysteem had het begeven en moest weer opgebouwd worden. Ze kreeg basisvoeding, regelmatige slaap, matige lichaamsbeweging en vitamine-injecties voorgeschreven.

Net als de meeste mensen dacht Emma dat ze onoverwinnelijk was. 'Ik begreep natuurlijk wel dat er een relatie van oorzaak en gevolg bestond tussen de manier waarop je je lichaam behandelt en hoe je je voelt,' zei ze. 'Ik dacht gewoon dat het niet op mij van toepassing was. En omdat de gevolgen zich niet onmiddellijk aandienden, ben ik in een patroon geraakt waarin ik mijn lichaam misbruik.'

Het duurde een halfjaar voordat Emma weer op krachten

was. Ze was moe, verzwakt en zag bleek. Maar met grote hoeveelheden slaap en groentesap kwam ze er weer bovenop.

Zodra ze zich beter begon te voelen, besloten we onze dertigerscrisis een beetje conservatiever te lijf te gaan – met zelfhulpboeken.

22

Zelfhulp

Er zijn ontzettend veel boeken over hoe je je carrière moet uitstippelen, hoe je moet vinden waar je hartstocht ligt en waar je sterke kanten en vaardigheden. Als er zo veel boeken op de wereld zijn die ons helpen om voldoening in ons werk te vinden, vraag je je toch af waarom zo veel mensen ontevreden en ongelukkig zijn.

Je vraagt je natuurlijk af of die boeken wel effectief zijn, maar het geval wil dat ik dol ben op zelfhulpboeken. Ik wou dat het niet zo was. Ik wou dat ik kon zeggen dat ik erboven sta, maar dan zou ik liegen. Het idee dat ik mezelf voortdurend verbeter staat me aan, maar ik vind het ook echt leuk om ze te lezen. Ik kan er niets aan doen; ik ben altijd al een nerd geweest.

En ik ben niet de enige. Op een feestje ontmoette ik Amanda. Ze gaf op de universiteit les in IT en haar dertigerscrisis leek al iets van tien jaar te duren. Ze had met behulp van zelfhulpboeken haar levensdoel proberen te ontdekken en werkte parttime, zodat ze de rest van haar tijd kon besteden aan antwoorden zoeken.

Ze had ze allemaal gelezen – van de klassiekers als *What Should I Do With My Life* en *What Colour Is Your Parachute*, tot de newageboeken als de *Celestijnse Belofte* en *De kracht van het nu.*

Do What You Are van Paul D. Tieger en Barbara Barron was een van Amanda's favorieten. De basis van dit boek is dat je werk moet doen dat bij je type persoonlijkheid past – werk dat bij je normen en waarden en je definitie van succes past. Het boek is gebaseerd op de zestien persoonlijkheidstypen van Myers Briggs, en beweert dat het je helpt te ontdekken welk type jij bent en somt dan de beroepen en kenmerken van een baan op die wel of niet bij jouw type passen. Amanda was er zo achtergekomen dat ze een hoogsensitief persoon is en heeft zich gerealiseerd dat mensen zoals zij niet zomaar een baan kunnen kiezen omdat de huur betaald moet worden. Ze wilde dat ze alleen voor het geld kon werken en dan thuis verder dingen kon doen waar ze voldoening uit haalt, maar dat is voor haar niet genoeg.

Ik heb de oefening uit *Do What You Are* gedaan en ben tot de ontdekking gekomen dat ik het persoonlijkheidstype EINW ben – extravert, intuïtief, nadenkend en waarnemend. Mensen zoals ik hebben goede communicatieve vaardigheden, worden gemotiveerd door mensen om zich heen te hebben, hebben ondernemingszin en kunnen op een creatieve manier problemen oplossen. De keerzijde is dat ik ongeorganiseerd ben, de neiging heb dingen te overdrijven, me snel verveel en geen mensen kan verdragen die volgens mij niet competent genoeg zijn en of geen verbeeldingskracht hebben en niet flexibel zijn. Nadat mijn persoonlijkheid zo precies voor me was samengevat, bladerde ik gretig door naar de bladzijde waar het ideale beroep voor mij stond. Mijn ideale beroep is... wacht even... managementconsultant. Andere suggesties waren journalist en deskundige op het gebied van arbeidsrelaties.

Als je alle banen die ik in mijn carrière heb gehad op een rijtje zou zetten, kom je ook met die uitslag: managementconsultant, journalist en deskundige op het gebied van arbeidsrelaties. Het is leuk om te weten dat ik beroepen gekozen heb die bij mijn persoonlijkheid passen. En dat heb ik zonder de hulp van Paul D. Tieger en Barbara Barron gedaan. Paul en Barbara hebben mijn persoonlijkheidstype uitstekend gecombineerd met de banen waarin ik goed ben. Jammer genoeg wist ik nu nog steeds niet wat de formule voor werk waar je voldoening uit haalt behelsde.

Het enige wat ik van *Do What You Are* heb opgestoken is het inzicht dat ik mensen om me heen moet hebben om me gemotiveerd te voelen en energie te krijgen. Aangezien ik een extravert persoon ben weet ik dat het niet goed voor me is om de hele dag op een kamertje te zitten met de deur dicht en elke dag maar op die computer te rammen. Ik moet de deur uit, me onder de mensen begeven, ideeën uitwisselen en energie opdoen door interactie.

Afgezien van het feit dat ik me die manier van leven niet kan permitteren, is het besef dat ik extravert ben de belangrijkste reden waarom het advies van mijn vriend Godfrey dat ik schrijver moet worden niet goed voelt. Ik vind het heerlijk om te schrijven, maar ik ben bang dat ik er op een gegeven moment een hekel aan krijg, als ik het tot mijn beroep maak in plaats van het alleen als hobby te beoefenen. Er zijn niet veel dingen in mijn leven waarvan ik echt naar alle eerlijkheid kan zeggen dat ik ze leuk vind om te doen. Het zou stom zijn om mijn liefde voor het schrijven om zeep te helpen door het belangrijker te maken in mijn leven dan het zou moeten zijn.

Ik belde Emma om haar het slechte nieuws te vertellen. Ik zei dat ik geen schrijver kon worden, doordat ik een EINW was. Ze zei: 'En jij denkt dat dat erg is? Ik ben een ESTJ – dat is hetzelfde persoonlijkheidstype als Hitler had. Ik ben narcistisch, arrogant, dominant en agressief.' Ik bladerde naar het hoofdstuk waarin de ideale carrière voor Emma en Hitler stond. Een aantal carrièremogelijkheden waren: beroepsofficier, begrafenisondernemer en juridisch medewerker. 'Dat zijn allemaal verschrikkelijke banen,' zei Emma. 'Ik slik nog liever een scheermesje in dan dat ik zulk werk moet doen.'

Na de niet-al-te-veel-opheldering-verschaffende uitslagen van de oefeningen in *Do What You Are*, probeerde ik alle oefeningen ter ontdekking van jezelf in alle andere zelfhulpboeken die ik gelezen had te doen. Ik kon mezelf er echt niet toe zetten om de kleurpotloden tevoorschijn te halen en tekeningen te maken met daarin alles wat mijn ouders, broers en zussen, leraren, buren en huisdieren wilden dat ik met mijn leven zou doen. En ik had ook geen zin om een schrift vol te schrijven met alle dingen die me boos maakten, waar ik bang voor was of die me pijn deden. Ik wilde de oefeningen gewoon overslaan en meteen doorgaan naar het hoofdstuk met de antwoorden, maar dat hoofdstuk leek in alle boeken te ontbreken. Nu ik er eens goed over nadenk, zou het best kunnen dat ik de clou niet begrepen heb.

Emma was ook niet veel opgeschoten met de zelfhulpboeken. Ze maakte heel nauwgezet alle oefeningen in *I Could Do Anything If Only I Knew What It Was* van Barbara Sher, en ook al kreeg ze hierdoor een betere kijk op wat van invloed was geweest op haar carrièrekeuzen, het werd haar niet duidelijk wat ze nu met de rest van haar leven aan moest. 'Er is me veel duidelijk geworden over wat voor invloed de verwachtingen van mijn ouders op de keuzen in mijn leven hebben gehad,' zei ze. 'En ik begrijp ook beter in wat voor dingen ik goed ben, maar het bleef los zand. Ik had gedacht dat aan het eind van de oefeningen het antwoord van de bladzijde zou springen; bijvoorbeeld dat ik brandweerman moest worden, of zoiets.'

Ik vroeg aan Amanda wat zij van al die boeken had geleerd. Ze zei dat het belangrijkste was dat je niet de hele dag kunt zitten nadenken. De meest effectieve strategie is dingen doen, dingen proberen. Ik hoefde haar niet te vertellen dat het dan wel erg ironisch was dat ze het afgelopen halfjaar niks anders had gedaan dan boeken lezen. Ze zei dat boeken haar antwoorden gaven, maar dat die, wanneer ze terugging naar het gewone leven, allemaal weer verdwenen. 'Het is heel leuk en intellectueel,' zei ze. 'Maar het is niet bij me ingedaald.'

Maar parttime werken vindt ze wel leuk. Ze vindt het leuk dat ze op haar vrije dagen voor niets of niemand iets hoeft te doen, alleen voor zichzelf. 'Nu heb ik tijd om lekker aan de rivier te gaan ontbijten,' zei ze.

Ik verbaasde me over Amanda's geduld. Als ik het grootste deel van het jaar zelfhulpboeken las en er vervolgens geen spat in mijn leven veranderde, of me niet gelukkiger of tevredener voelde, zou ik me bedrogen en kwaad voelen. Dertiger zijn en er schoon genoeg van hebben was geen lolletje – ik wilde deze ellende zo snel mogelijk achter de rug hebben. Het is confronterend en griezelig om elke ochtend wakker te worden en niet te weten wat mijn doel is. En het maakt me eenzaam.

Een van de dingen waar ik nog het meest bang voor was tijdens mijn dertigerscrisis was dat ik mijn vrienden zou kwijtraken. Ik was bang dat als mijn werk me niet meer interesseerde, het me ook niet meer kon schelen waar mijn vrienden het over hadden.

Ik had me niet eerder gerealiseerd hoeveel tijd je met je vrienden over je werk praat. We hadden het over de stomme dingen die onze managers en klanten deden, over onze positie binnen het bedrijf, over onze carrière en promoties en over onze bonussen. Nu dat me allemaal gestolen kon worden had ik niet zo veel aan de gesprekken bij te dragen. Als werk geen bindende factor meer was tussen mijn vrienden en mij, hadden we misschien ook niet genoeg gezamenlijke interesses om bevriend te blijven.

Nadat ik koffie had gedronken met mijn vriend Todd, schaamde ik me voor mezelf. Hij vertelde opgewonden dat hij binnenkort binnen zijn bedrijf van schaal zes naar schaal zeven gepromoveerd zou worden. Ik moest mijn zelfbeheersing in stelling brengen om een geeuw te onderdrukken en niet te zeggen wat ik dacht: 'Wat maakt dat nou uit? Schalen zijn gewoon willekeurige sociale constructies.' Maar zo wilde ik niet zijn. Ik wilde blij voor hem zijn.

Een halfjaar geleden zou ik ook blij voor hem geweest zijn, en nog jaloers ook. Maar nu had ik het gevoel dat het me niets deed. Ik was veranderd en dat was angstaanjagend. Hier ging het niet om bij mijn reis als dertiger. Mijn reis moest er juist voor zorgen dat ik meer voldoening kreeg en gelukkiger werd. Ik wist zeker dat ik dat doel niet zou bereiken als ik mijn vrienden en het gevoel dat ik bij hen hoorde kwijtraakte.

Dat ik mijn vriendschappen en daarmee dat gevoel bij hen te horen in de waagschaal stelde voor een kruistocht naar betekenis en een doel was echt te erg voor woorden. Mijn onuitgesproken antwoord aan Todd was arrogant en elitair. Ik had wel het gevoel dat ik iets van vooruitgang boekte met die crisis, maar ik moest mezelf eraan helpen herinneren dat elk pad waarop ik mijn vrienden niet mee kon nemen zonder meer de verkeerde kant opging.

Ook al wilde ik mijn vriendschappen nog zo graag in stand houden, de sociale verplichtingen waar ik vroeger energie van kreeg, lieten me nu volkomen koud. Op vrijdag na het werk iets drinken en andere netwerkbezigheden en feestjes gaven me een leeg en eenzaam gevoel. De nieuwe jongen die met me aanpapte omdat ik nuttig kon zijn voor zijn carrière, begon me de keel uit te hangen, en de vriend die me elke derde dinsdag van de maand belde 'gewoon om hallo te zeggen', maar ondertussen zijn netwerkinvestering warm hield, bracht me tot razernij. De transactieachtige aard van mijn relaties met mensen was griezelig duidelijk geworden. Het was net alsof we allemaal gebruiksartikelen waren die uitsluitend om opportunistische redenen bestonden: een investering die we warm hielden voor het geval we elkaar in de toekomst nodig hadden.

Ik moest tot mijn ontzetting concluderen dat de meeste mensen met wie ik het grootste deel van mijn tijd doorbracht, eigenlijk geen vrienden van me waren. Als ik het over mijn echte vrienden heb – de vrienden die verschillende fasen van mijn leven hebben doorstaan, die ik midden in de nacht in wanhoop kan bellen, die van me houden zoals ik ben – zijn die op de vingers van één hand te tellen, en dan heb ik nog vingers over.

Ik had vriendschap en omgang met elkaar verward en daarmee mijn vrienden een slechte dienst bewezen. Ik had me er in het verleden schuldig aan gemaakt dat ik de kans om te netwerken meer prioriteit gaf dan de behoeften van mijn vrienden – ik had soms maandenlang geen tijd om ze te zien, doordat ik zo druk met mijn carrière bezig was. Godzijdank hebben ze me niet laten vallen en heb ik mijn verstand teruggevonden. Dat maakt dat het vrienden zijn, denk ik.

Emma was nooit in de 'netwerkval' getrapt. Haar manager had haar zelfs gezegd dat het een zwakte van haar was dat ze niet bereid was om te netwerken. Emma schrijft haar afkeer van netwerken toe aan het feit dat ze op een openbare school heeft gezeten.

'Wij hebben toen we op school zaten niet geleerd dat netwerken belangrijk was, want er was toch niemand de moeite waard.' Ze vermijdt netwerkactiviteiten nu omdat ze het opportunisme niet verdraagt. 'Iedereen probeert gewoon iets van je gedaan te krijgen. Het gaat er helemaal niet om dat je het leuk hebt in elkaars gezelschap,' zei ze. Emma wilde geen relaties die gebaseerd waren op wat zij van mensen gedaan kon krijgen. 'En bovendien is het zonde van mijn tijd,' zei ze. 'Alsof je iemand op basis van een gesprekje van twee minuten bij een goedkoop glas champagne in een sjofele hotellobby voor iets zult aanbevelen.'

Een van Emma's collega's is een echte netwerker. Elke keer dat ze Emma ziet, kust ze de lucht aan weerskanten van Emma's hoofd en zegt: 'Hallo schat, laten we samen lunchen.' 'Waar slaat dat op?' zei Emma. 'Ze is niet goed wijs. Ik ga niet haar kont likken voor het geval ik misschien ooit via haar een baan krijg.'

Ik merkte dat ik, toen ik vrienden en collega's in mijn hoofd eenmaal van elkaar gescheiden had, verdraagzamer tegenover mijn kennissen stond en meer waardering voor hen voelde. Ik keerde terug naar de wijsheid van Richard de consultant annex reddingswerker inzake verwachtingen en geluk. Ik verwachtte te veel van mijn collega's. Ze waren geen vrienden van me en dat moest ik ook niet van hen verwachten. Het is leuk om met ze om te gaan en we hebben er allemaal profijt van om met elkaar te netwerken, maar ik moet niet verwachten dat ze meer zijn dan wat ze zijn.

Ze spelen allemaal een rol in mijn leven, maar het gaat er om dat je onderscheid kunt maken.

23

Veertig, en er helemaal voor gaan

Toen ik Caroline vertelde dat ik last had van mijn dertigerscrisis, zei ze: 'Ik weet er alles van. Die heb ik vroeger ook gehad, maar nu ben ik veertig en ga ik er weer helemaal voor.'

Caroline is mijn coach. Ik heb haar leren kennen toen ik net in de consultancy werkte en sindsdien is ze mijn coach gebleven. Ik heb haar als coach uitgekozen omdat ze net als ik consultant op het gebied van verandermanagement was en bovendien een gerespecteerde, ervaren vrouw. Het belangrijkste was natuurlijk dat het tussen ons klikte en dat ik haar vertrouwde. Sommige mensen zeggen dat de beste coach iemand is die volslagen anders is dan jijzelf, misschien zelfs iemand die je niet eens mag, omdat je dan een heel andere kijk op de dingen krijgt. Dat was met Caroline niet het geval; ik mocht haar graag en bewonderde haar.

De afgelopen paar jaar was Caroline van een fulltime consultant en een parttime carrière- en levenscoach een fulltime coach geworden. Tijdens deze overgang was ze van iemand die er helemaal klaar mee was veranderd in iemand die er helemaal voor ging.

Coachen vindt ze heerlijk. Het is haar lust en haar leven en ze kan het gewoonweg niet genoeg doen, er niet genoeg over weten en niet genoeg over lezen. Soms voelt ze zich een bedrieger, omdat ze betaald krijgt om iets te doen wat ze zo ontzettend leuk vindt.

Het was niet gewoon een kwestie van op een andere carrière overstappen en dat je er dan weer helemaal voor ging. Tijdens het proces van coach worden was ze op een paar radicale punten anders tegen zichzelf en tegen de manier waarop ze leefde gaan aankijken.

Caroline was om te beginnen nieuwsgierig geworden naar zichzelf en de wereld om zich heen. 'Nieuwsgierigheid en veroordelen kunnen niet naast elkaar in dezelfde ruimte bestaan. Het was ontzettend bevrijdend om te beseffen dat ik niet altijd met mijn oordeel klaar hoef te staan. Nu weet ik dat ik mijn bagage bij de deur kan laten staan en dat ik die weer kan pakken als ik hem nodig heb.'

Door minder snel met haar oordeel klaar te staan heeft Caroline geleerd om te kijken naar wat mogelijk is in plaats van zich te concentreren op wat ze wel en niet zou moeten doen. Dit heeft professionele en persoonlijke mogelijkheden voor haar aangeboord die ze anders niet gehad zou hebben. Voorheen waren al haar vrienden hetzelfde: hoogopgeleid, succesvol en welvarend. Nu heeft ze zichzelf de kans gegeven om relaties met mensen op te bouwen die niet aan dat stereotype beantwoorden. 'Ik had een beperkte landkaart van de wereld,' zei ze. 'Ik werd ingeperkt door mijn angst en door een gebrek aan bereidwilligheid om vraagtekens bij mijn eigen manier van denken te zetten.'

Ze heeft nu het zelfbewustzijn om te weten welke overtuigingen haar kracht geven en welke niet meer voor haar werken. Caroline hoeft niet meer alles in haar leven onder controle te hebben en ze hoeft ook niet haar hele leven voor zich uitgestippeld te zien. 'Ik heb veel spontaan plezier in mijn leven gemist omdat ik alles onder controle wilde hebben,' zei ze. 'Hoe meer je alles in de hand probeert te hebben, hoe meer alles juist uit de hand loopt.'

Toen Caroline dertiger was, was ze veel meer tijd bezig met wat ze wel en niet had in vergelijking met andere mensen en met de verwachtingen die ze voor zichzelf had. 'Toen ik veertig was, begon ik me af te vragen hoe ik wat aardiger voor mezelf kon zijn. Ik stel mezelf nu aardiger vragen.'

Caroline is gespecialiseerd in het coachen van mensen die van de stad naar het platteland willen verhuizen. 'De meeste cliënten hebben het romantische beeld dat een eenvoudiger leven hen gelukkig zal maken. Maar in de meeste gevallen gaan ze uiteindelijk iets anders doen. Door gecoacht te worden vinden ze vaak een andere manier om de voldoening te beleven waarnaar ze op zoek zijn.'

Ik vroeg haar of ze met coachen iets kon betekenen voor een dertiger die er helemaal klaar mee was, en ze zei dat dat van de persoon afhing. Het gaat er vooral om dat mensen een dwingende reden nodig hebben om te veranderen; ze moeten er schoon genoeg van hebben dat ze er schoon genoeg van hebben. Je er bewust van zijn of er zelfs lichtelijk ontevreden over zijn is niet genoeg. 'Pas als iets ondraaglijk wordt zien we ons genoodzaakt om in actie te komen,' zei ze.

'Sommige mensen vinden het fijn om martelaar te zijn of genieten van de bijvangst en de aandacht die het ongelukkig-zijn met zich mee brengt. Zij hebben er iets aan om ontevreden te zijn; ze genieten van hun slachtofferrol. Sommige mensen moeten een tijdje klem zitten voordat ze bereid zijn in actie te komen en er verandering in te brengen.'

Als mensen aan coaching toe zijn, helpt dat proces ze in te zien waar ze nu staan – ze worden hierdoor geconfronteerd met de harde werkelijkheid. Vervolgens kunnen ze leren herkennen waar ze willen zijn en krijgen ze strategieën aangereikt om er te komen. 'Het gaat er vooral om helder te krijgen wat je belangrijk vindt en erachter te komen aan welke denkbeelden je niets hebt en die dan kwijt zien te raken.'

'Dat klinkt fantastisch,' zei ik. 'Maar wat gebeurt er als je gewoon niet weet waar je wilt zijn en wat je wilt doen?' Ik vertelde haar over alle mensen die ik gesproken had, die alle zelfhulpboeken die er bestonden hadden gelezen en zelfs de oefeningen in die boeken hadden gedaan, en het daarna nog steeds niet wisten.

'Hoeveel boeken heb je gelezen die jouw gedrag daadwerkelijk hebben veranderd?' vroeg Caroline. 'Een boek laat je niet zien wanneer je jezelf saboteert. Met coaching krijg je de objectiviteit, de vaardigheid en de moed om in een volstrekt veilige omgeving in de spiegel te kijken. Je krijgt er te maken met fantastische vragen die je jezelf anders nooit zou stellen, en daarna verwerf je het zelfvertrouwen om in actie te komen.'

Caroline vindt het een goed teken als je er als dertiger genoeg van hebt. Dat betekent dat de gemakkelijke weg van gewoon passief je pad volgen en doen wat iedereen van je verwacht zo ondraaglijk geworden is dat we nu een dwingende reden hebben om ons leven in positieve zin te veranderen.

'Een van de manieren om de dertigersblues te lijf te gaan is door je lot in eigen hand te nemen,' zei Caroline. 'Zelfs als je uiteindelijk precies hetzelfde gaat doen als daarvoor, maakt het al een heel verschil dat je de moed hebt gehad om na te denken over wat je wilt en er dan bewust en weloverwogen voor te kiezen.'

Een veelvoorkomend thema bij de cliënten van Caroline die in de dertig zijn is dat ze proberen alles wat ze hebben af te wijzen in plaats van het toe te laten en uit te zoeken welke onderdelen ze willen houden en nog kunnen gebruiken. 'Het is heel belangrijk dat je inziet dat je niet alles hoeft te veranderen,' zei ze. 'Het is vaak een veel te grote stap om afstand te nemen van wat je goed kunt, en het is ook niet goed voor mensen om te denken dat ze de afgelopen tien jaar van hun leven weggegooid hebben.'

Ze zei dat we niet moeten weglopen van datgene waar we goed in zijn, maar dat we moeten uitzoeken hoe we daarop verder kunnen bouwen om iets beters tot stand te brengen. Sonia de lerares annex boekwinkeleigenaar had intuïtief gedaan wat Caroline altijd aanraadt. Ze heeft haar jarenlange ervaring en de vaardigheden die ze als lerares had ontwikkeld niet bij het oud vuil gezet, maar ze heeft de goede dingen eruit gehaald, zoals haar liefde voor onderwijs en haar vermogen om contact te leggen met kinderen, en die heeft ze in een nieuwe situatie weer toegepast. Ze vertelde me dat ze, toen ze dezelfde ambitie eenmaal op een ander terrein had overgebracht, voelde dat ze er energie van kreeg, in plaats van dat het haar leegzoog.

Caroline vroeg welke aspecten van mijn vroegere ervaring nuttig genoeg waren om te behouden en over te zetten naar iets nieuws. Ik geloof dat ik mijn schrijftalent uit het eerste deel van mijn carrière wil behouden, en het managen van mensen en mijn organisatiekennis van mijn carrière in de consultancy. Maar ik weet nog steeds niet waar of hoe ik die dan moet toepassen.

Caroline wees me er meteen op dat wat voor mij als dertiger werkt, me als veertiger waarschijnlijk geen voldoening meer geeft. 'Maar dat hoeft ook niet. Dat is toch fijn?' zei ze. 'Er bestaat niet zoiets als "het antwoord". Het is arrogant om te denken dat dat er wel zou zijn. Iedereen moet er zelf achter zien te komen wat voor hem of haar werkt.

24

Van A naar B

Kate is erachter wat voor haar werkt.

Toen mijn neef me aan zijn verloofde voorstelde, dacht ik: wauw, dat heeft hij goed gedaan. Kate is geestig, wereldwijs en gedreven. Ze heeft het lef om met haar schoonvader over politiek te discussiëren en is welbespraakt genoeg om zich daar goed uit te redden. Op hun bruiloft werd Kate in de toespraken beschreven als iemand die 'vanbinnen en vanbuiten mooi is'.

Zij is ook zo'n veertiger die er helemaal voor gaat.

Maar dat is wel eens anders geweest. Toen ze dertiger was, was ze net zo ontevreden als ik en had ze het ook helemaal gehad, maar toen heeft ze een paar dingen in haar leven veranderd en haar betrokkenheid teruggevonden. Ik vroeg me af hoe ze van A naar B was gegaan, waarbij A een ramp was en B een en al gelukzaligheid.

Toen Kate eind twintig was, werkte ze zich een slag in de rondte als accountmanager bij een verzekeringsmaatschappij. Op haar negenentwintigste werd ze tot een hoge managementfunctie bevorderd. Kate had het gevoel dat ze iets moest bewijzen; ze was de jongste medewerker van het bedrijf die zo'n hoge functie had, en ze was nog een vrouw ook. Ze maakte heel lange dagen, nam veel verantwoordelijkheid op zich en nog meer stress, en had geen tijd meer voor haar familie en vrienden. 'Ik stelde vreselijk hoge eisen aan mezelf,' zei ze. 'Toen ben ik mezelf helemaal kwijtgeraakt.'

Ook haar gezondheid moest eraan geloven. Er werd een acute immuunstoornis bij haar geconstateerd en ze draagt daar nog steeds de littekens van, die haar er voortdurend aan herinneren wat er met haar gebeurt als ze te veel van zichzelf vraagt. Haar afweersysteem hield ermee op en ze kreeg huiduitslag, naast nog een heleboel andere akelige dingen.

Op doktersadvies nam ze twee weken vrij om uit te rusten. Die tijd gebruikte ze om eens op een rijtje te zetten wat er belangrijk was in haar leven, en het eind van het liedje was dat ze besloot ontslag te nemen. Ze ruilde het vette salaris, de leaseauto, de status en de bonussen in om fulltime te gaan studeren. Kate studeerde drieënhalf jaar geschiedenis, Engels en cultuurwetenschappen.

In die tijd kreeg ze belangstelling voor binnenhuisarchitectuur en nam ze een parttime baan bij een bouwbedrijf om zich daarin te bekwamen en wat geld te verdienen. 'Toen was ik gelukkig,' zei ze. 'Ik voelde me betrokken bij wat ik deed en had heel veel vrijheid.'

Op haar drieëndertigste ging ze, met een kersvers universitair diploma op zak, weer fulltime bij hetzelfde verzekeringsbedrijf werken. Maar dit keer ging het anders. Ze was nog steeds accountmanager, maar anders dan voorheen managede ze een minder stressvolle portefeuille, in een rustiger tempo en met normale werktijden. Het ging een tijdje goed. Het werk was inhoudelijk niet bijster interessant, maar ze voelde zich intellectueel genoeg uitgedaagd om er voldoening uit te putten.

'Maar op een dag zag ik er toch het nut niet meer van in,' zei Kate. 'Ik had geen zin meer op elke dag op te staan om iets te doen waarbij ik me niet echt betrokken voelde en waar ik geen belangstelling voor had.'

Kate was dertiger en er helemaal klaar mee. Net als Emma en ik was er geen directe aanleiding of dramatische gebeurtenis geweest waardoor ze anders tegen haar werk was gaan aankijken. Het was gewoon gebeurd. Ze begon te merken dat er verschil was tussen wat zij belangrijk vond en wat haar werkgever belangrijk vond. 'Ik geloof niet dat mijn normen en waarden waren veranderd,' zei ze, 'maar ik was me er plotseling wel veel bewuster van.'

Dat die waarden niet op één lijn stonden met die van haar werkgever merkte ze vooral wanneer het op ethische en milieukwesties aankwam. Het begon haar ook dwars te zitten dat ze anders werd behandeld dan haar mannelijke collega's. 'Ik had er genoeg van om een vrouw te zijn in een conservatieve mannelijke bedrijfstak,' zei ze.

Kate wilde iets gaan doen waarin ze zich kon ontwikkelen en waarin ze nieuwe manieren van zijn kon ontdekken. Ze verlangde ook erg naar autonomie. 'Ik wilde mijn eigen lot kunnen bepalen en niet afhankelijk zijn van iets wat buiten mezelf lag,' zei ze.

Rond die tijd besloot ze met mijn neef Nathan te trouwen en begon ze na te denken over kinderen krijgen. 'Het was uitgesloten dat ik de zorg voor kinderen en mijn werk bij dat bedrijf met elkaar in balans kon brengen.' Dus diende Kate haar ontslag in en nam ze een maand vrij. In die tijd sliep ze lekker uit, las ze boeken en besloot ze van haar hobby – binnenhuisarchitectuur – haar vak te maken.

Het is nu vierenhalf jaar later en Kate heeft haar eigen bedrijf en wordt sterker en sterker. Dat is ook niet zo vreemd. Ze is er heel goed in. Dat weet ik uit eigen ervaring. Toen ik mijn appartement kocht, heb ik haar gevraagd om mijn badkamer en keuken te verbouwen. Toen Chris bij me introk – samen met duizend van zijn lievelingsboeken – is het haar gelukt om kasten te ontwerpen waar die in konden, zonder dat het hele appartement in een bibliotheek veranderde. Toen ze bij me thuis was om de maat voor de kasten te nemen, vroeg ik haar of ze haar werk leuk vond. Ze zei: 'Ik vind het zo ontzettend leuk dat het niet eens als werk voelt. Ik doe wat ik leuk vind en ik word er nog voor betaald ook.'

Kate heeft niks aan planning of voorbereiding gedaan toen ze aan haar bedrijf begon. Ze heeft het gewoon gedaan. Ze zei dat ze het geluk had dat ze genoeg middelen had om financieel onafhankelijk te blijven terwijl het bedrijf groeide. 'Ik had dan wel een relatie, maar ik wilde toch financieel onafhankelijk zijn.'

Ze is over de hele linie genomen echt blij met haar besluit, maar in het begin had het wel wat voeten in aarde. Het heeft enige aanpassing gevergd om van een fulltime werknemer plotseling een eigen bedrijf te runnen. 'Ik vond het jammer dat ik geen collega's meer had om mijn ideeën bij te toetsen en ik miste het sociale aspect,' zei ze. 'Maar dat speelt nu niet meer. Ik heb het nu veel drukker dan toen ik net begon en ik heb geleerd om alleen werken leuk te vinden. Ik ben niet meer bang voor mijn eigen gezelschap. Ik heb nu zelfs het gevoel dat ik dat nodig heb.'

Ze miste ook de structuur. 'Ik ben gauw afgeleid,' zei Kate. 'En het duurde ook even voordat ik eraan gewend was dat ik niet meer de financiële zekerheid van een regelmatig salaris had. Het heeft zo zijn ups en downs, maar ik heb geleerd daarin mee te gaan.'

Kate is nu een stuk rustiger en veel minder in materiële dingen geïnteresseerd. 'Misschien komt dat doordat ik niet meer elke dag met een materialistische omgeving word geconfronteerd. Ik hoef me er geen zorgen over te maken wie wat voor leaseauto heeft en wat voor schoenen ik aanheb.'

'Ik vind dat ik echt heel erg van geluk mag spreken, dus vind ik ook dat ik iets terug moet geven,' zei ze. Kate probeert haar klanten met haar ontwerpen meer milieubewuste en veiligere keuzen te bieden, maar ze vraagt zich toch wel eens af of het niet te frivool is wat ze doet. 'Ik heb het gevoel dat ik mijn werk in evenwicht moet brengen met dingen die er meer toe doen,' zei ze. 'Dus doe ik vrijwilligerswerk, breng ik meer tijd door met mijn familie en vrienden en ben ik actief betrokken bij de buurt waar ik woon.'

'Het leven is natuurlijk niet volmaakt,' zei Kate. 'En dingen staan niet voor altijd vast. Misschien bewandel ik over een jaar wel een heel ander pad. Daar sta ik voor open, en dat vind ik spannend.'

Kate heeft een vergelijkbare houding ten aanzien van haar carrière als Caroline, de coach. Ze voelen zich allebei eerder bevrijd dan ingeperkt door het besef dat wat ze doen niet voor eeuwig hoeft te zijn. Op een bepaalde manier hebben ze de druk van zichzelf afgehaald, waardoor het gemakkelijker is om van hun baan en hun leven te genieten. Ik bedacht dat als mensen zichzelf vragen 'is dit nu alles?', het antwoord vaak 'ja, dus gewoon doorgaan' luidt. Bij Kate en Caroline luidt het antwoord: 'Alleen als ik dat wil.'

Kate heeft niet het gevoel dat haar identiteit door haar baan bepaald wordt, zoals dat vroeger wel het geval was. 'Ik heb niet het gevoel dat ik het gemaakt heb of dat dit het einde van het verhaal is,' zei ze. Het gevolg hiervan is dat ze haar identiteit niet in het succes van haar bedrijf heeft geïnvesteerd en ook niet bang is om te mislukken, terwijl je dat wel zou verwachten. 'Als het niet lukt, vind ik wel weer iets anders,' zei ze.

Door mijn gesprek met Kate begon ik me te realiseren dat

mijn carrière tot nu toe onlosmakelijk met mijn identiteit verbonden was geweest. Ik stelde mezelf op feestjes altijd trots voor en wachtte dan op de onvermijdelijke vraag 'wat doe je voor werk?' zodat ik iedereen kon laten weten dat ik een carrièrevrouw was. Wat een domkop.

Emma was net zo. Toen ze jong was, dacht ze dat het er allemaal om draaide dat je een goede opleiding deed en een goedbetaalde baan kreeg. Dat was veel belangrijker dan dat je een compleet mens was of een gezin stichtte. 'Onze ouders wilden het beste voor ons en wilden dat we gelukkig zouden zijn,' zei Emma. 'Maar vanwege alle druk om toch maar vooral een goede baan te krijgen, dachten wij dat je door middel van je carrière gelukkig werd. Wij hebben de fout begaan te denken dat we onze carrière moesten zíjn.'

In tegenstelling tot Kate hadden Emma en ik een heel beperkt beeld van onszelf en van onze plaats in de wereld. 'Ik heb in toenemende mate het gevoel dat mijn leven wemelt van de kansen,' zei Kate. 'Ik heb de indruk dat het leven me veel meer te bieden heeft dan ik een paar jaar geleden voor mogelijk had gehouden.'

25

Universeel lijden

Ondanks mijn nieuwe hoop dat ik op een dag een veertiger zou zijn die er helemaal voor ging, voelde mijn huidige ontevredenheid toch als een sluimerende infectie. Wat ik ook deed of hoe ik mezelf ook probeerde af te leiden, de ontevredenheid stroomde niet-aflatend door mijn aderen. Soms steeg hij plotseling tot een overweldigende wanhoop, vaak als reactie op de zondagavondblues, bij de gedachte dat ik maandag weer naar mijn werk moest. Soms begonnen de zondagavondblues al op zaterdagmiddag en hield het ontevredenheidsvirus mijn lichaam bijna het hele weekend in zijn greep.

Ik wist inmiddels wel wat ik niet meer wilde. Ik wilde niet meer het mooiste deel van mijn leven krijtstreeppakjes dragen, onzin uitkramen en doen alsof het me ook maar iets kon schelen. Maar zelfs als ik de financiële middelen had gehad om de carrière-Kasey te bevrijden, dan was dat nog niet genoeg, zo wist ik nadat ik met Peter had gesproken. De formule voor mijn geluk bestond er niet alleen maar uit dat ik de dingen die ik niet leuk vond moest schrappen. Het lag iets ingewikkelder. En het was ook niet genoeg om meer dingen te gaan doen die ik leuk vond. Ik was tot de conclusie gekomen dat de bron van betekenis en vervulling net zozeer binnen in jezelf als daarbuiten gelegen was. Zou het me misschien aan spiritualiteit ontbreken?

Maakt u zich geen zorgen, dit boek gaat er niet over hoe ik de afslag naar Religieland heb genomen en daar God gevonden heb. Ik weet niet eens zeker of ik wel in God geloof. Ik ben agnostisch opgevoed. Ik ben nooit gedoopt en de paar keer dat ik in een kerk ben geweest voor een bruiloft of een begrafenis was ik op van de zenuwen – ik had geen idee wanneer ik moest opstaan of knielen.

Maar hoe meer ik over geluk en vervulling las, hoe meer me duidelijk werd dat er een verband bestaat tussen spiritualiteit en welbevinden. Het leek wel alsof bijna elk onderzoek naar geluk dat ooit gedaan is tot de conclusie komt dat mensen die gelovig of spiritueel zijn over het algemeen gelukkiger zijn dan mensen die dat niet zijn.

Ik ben vaak een beetje jaloers geweest op gelovige mensen, omdat die daar iets uit lijken te halen wat ik niet begrijp. Ik heb me afgevraagd of mij soms iets ontging. Maar goed, ik vind toch dat je je niet zomaar een godsdienst kunt aanmeten. Ik vind het een beetje opportunistisch om me als volwassene bij een godsdienst aan te sluiten in de hoop dat ik me daardoor beter zal voelen. Ik weet dat dat nergens op slaat; een keuze die je als volwassene maakt is natuurlijk veel waardevoller dan wanneer je je godsdienst gewoon van je ouders erft. Maar ja, misschien moet je er wel mee beginnen als je jong bent – te jong om erover na te denken hoe het geloof logisch of rationeel in elkaar steekt. Ik begrijp wel dat het heel troostrijk kan zijn, maar ik heb altijd moeite gehad om verhalen te geloven die niet stroken met de natuurwetten. En als ik daar niet in kan geloven, dan lijkt zo'n religieuze adoptie me een beetje halfbakken.

Dat zal er wel een van de redenen voor zijn waarom het boeddhisme zo populair is onder volwassenen in de westerse wereld. Over het geheel genomen vraagt het boeddhisme niet van zijn aanhangers om in magische of bijgelovige elementen te geloven. Naar verluidt is het boeddhisme vooral heel populair geworden bij van die carrièretypetjes als ik.

Dit klinkt vast heel gemeen, maar alle mensen die ik ken die zich tot het boeddhisme hebben bekeerd vind ik verschrikkelijk. Ze voldoen allemaal aan het profiel van ambitieuze, materialistische carrièrejagers die hun huis opnieuw inrichten met Tibetaanse kleden en dan een en al morele superioriteit gaan uitwasemen. Ik vind het heel onaantrekkelijk, en dan heb ik het nog niet eens over die stoffering. Voor zover ik kan beoordelen hebben ze geen enkele gemeenschapszin of oog voor het algemeen belang, behalve dan dat ze aardig zijn tegen andere mensen om te zorgen dat Karma niet bij hen op bezoek komt en ze ervan langs geeft. Als zij hun leven zo willen leven, prima, maar om dan zo moreel superieur te doen, terwijl ze zich alleen maar een Karmische verzekeringspolis hebben aangemeten, gaat er bij mij niet in.

Het boeddhisme behelst vast meer dan wat ik ervan gezien heb bij mijn onlangs bekeerde collega's. Ik denk dat sommigen van hen alleen die elementen van het boeddhisme hebben overgenomen die goed in de westerse cultuur passen. Elizabeth Gilbert, de schrijfster van *Eten, bidden, beminnen*, die haar spirituele geloofwaardigheid heeft verdiend in een ashram in India, heeft de kwaliteiten van het boeddhisme een stuk beter aan de man gebracht. Ze heeft niet alleen zo voortreffelijk over haar spirituele reis geschreven dat ik bijna misselijk werd van afgunst – vast een niet erg boeddhistische reactie – maar ze heeft ook gedetailleerd beschreven hoe meditatie haar geholpen heeft om haar innerlijke demonen en ontevredenheid te temmen.

Dat leek mij precies wat ik nodig had, maar anders dan bij

Elizabeth Gilbert stond mijn banksaldo me niet toe om in een vliegtuig naar India te springen. Bovendien was ik een paar jaar geleden voor mijn werk een week in India geweest en dat was de gruwelijkste reiservaring van mijn leven. Ik was niet van plan daar binnen afzienbare tijd weer naartoe te gaan.

De armoede en radeloosheid in India hadden me verschrikkelijk aangegrepen. Ik heb als kind een paar jaar in Indonesië gewoond, dus armoede en grove ongelijkheid qua leefomstandigheden had ik al van dichtbij meegemaakt, maar op de verschrikkingen in India was ik totaal niet voorbereid. Ouders die bij hun kinderen armen en benen afhakken, zodat ze met bedelen meer geld krijgen – dat kan ik echt niet aan.

Ik weet dat mensen zeggen dat India een spiritueel oord is, maar ik kan me niet voorstellen hoe ze over de gruwelijke armoede heen kunnen kijken en dan vrede en rust kunnen vinden. Ik besloot dus te kijken of ik binnen de comfortabele en prettige omstandigheden van mijn bevoorrechte westerse bestaan ook kon mediteren. Ik had trouwens ook geen zin om drie maanden te investeren in een onderneming waarvan ik niet eens zeker wist of ik er wel iets aan zou hebben. Ik was op zoek naar een meditatie-ervaring van het niveau 'water toevoegen, snel klaar, in het diepe springen'. Die vond ik bij Vipassana – een tien dagen durende meditatieoefening waarbij niet gepraat wordt.

Vipassana trok mijn aandacht doordat het niet-sektarisch zei te zijn. Ik hoefde me niet bij een groep aan te sluiten of te geloven in iets wat tegen de natuurwetten of de rede ingaat. Ik hoefde niet te bidden, er waren geen God en geen wonderen. Vipassana was ook universeel in die zin dat het aansloot bij alle religies, nationaliteiten en etnische afkomsten. SN Goenka, de leraar, zegt dat lijden en ellende universeel zijn. Wat de oorzaak of de situatie ook is, ellende ervaren we allemaal op dezelfde manier. De oplossing zou dus ook universeel moeten zijn. Om duidelijk te maken wat je in het leven wilde, hoefde je van Vipassana niet te bidden, te hopen of dagboeken vol te schrijven met dingen waar je dankbaar voor bent. Het uitgangspunt is dat er nu eenmaal nare dingen in het leven gebeuren en dat de enige manier om een einde te maken aan je ellende is om te leren er niet op te reageren. Hoe we ons leven ook leven, er zullen altijd dingen buiten ons gebeuren die óf niet plaatsvinden wanneer we dat willen of die op een moment gebeuren dat we er echt niet op zitten te wachten. Het enige waar we zeggenschap over hebben is onze innerlijke reactie op deze gebeurtenissen. Door onze innerlijke reacties te leren beheersen kunnen we niet alleen een einde aan ons lijden maken, maar worden we ook betere mensen met meer medeleven.

Wat ik op de diverse websites las klonk zo goed dat ik het wel eens wilde proberen. Het sprak me ook erg aan dat Vipassana uitsluitend op schenkingen en vrijwilligers draait. Goenka had Vipassana geleerd toen hij in de twintig was en op zoek was naar genezing voor zijn migraine. Hij was in die tijd een rijke zakenman die in Burma woonde en had alle medische experts over de hele wereld al geraadpleegd. Als laatste redmiddel probeerde hij Vipassana, een 2500 jaar oude techniek. Hij raakte er niet alleen door van zijn migraine af, maar het bevrijdde ook zijn rijke zakenleventje van ontevredenheid en betekenisloosheid. In de loop der tijd heeft hij overal ter wereld Vipassana-meditatiecentra opgericht, en die drijven allemaal op de liefdadigheid van de cursisten en de gemeenschap. Het leek erop dat Goenka gedaan had wat Caroline, de coach, me ook aanraadde: hij had zijn vaardigheden en ervaring als zakenman en ondernemer ingezet in een nieuwe situatie, om aldus iets beters tot stand te brengen.

Het klonk zo fantastisch dat ik meteen het online-inschrijfformulier invulde en op antwoord wachtte. Er gingen weken voorbij, maar toen ontving ik een e-mail van het Vipassana-meditatiecentrum, waarin ze mij lieten weten dat ze mijn aanvraag hadden afgewezen.

Die hufters hadden me afgewezen. Een stelletje linzen etende, sandalen dragende, in de marge van de samenleving verkerende hippies had me afgewezen. Medeleven? M'n reet. Ze waren net zo medelevend als al die andere opportunistische, moralistische, berekenende Karmische rekruten die ik kende.

Op het registratieformulier moest ik vertellen hoe oud ik was, wat voor werk ik deed, wat mijn medische geschiedenis was en hoe het momenteel met mijn lichamelijke en psychische gezondheid gesteld was. Ik haat vragen over psychische gezondheid. Ik ben altijd bang dat mensen, zodra ze er achterkomen dat ik PTSS en een depressie heb gehad, zullen denken dat ik gek ben. Ik heb overwogen om op het formulier te liegen, want laten we eerlijk zijn, de kans dat ze er ooit achter zouden komen was niet erg groot. Maar aangezien boeddhisten open en meelevende mensen zouden moeten zijn, besloot ik de waarheid te vertellen. Ik had moeten liegen. Ze wezen mijn aanvraag af op basis van hun bezorgdheid om mijn psychische gezondheid.

Ik stuurde ze een e-mail om te vragen of ze er nog eens over wilden nadenken. Ik legde uit dat mijn psychische problemen zich lang geleden hadden voorgedaan en dat ik tegenwoordig, na alle therapie en zelfreflectie, in emotioneel opzicht sterker was dan ooit. Ze keken nog eens naar mijn aanvraag en besloten dat ik mocht komen. Misschien waren ze toch niet zo medelevenloos als ik gedacht had.

Je zou zeggen dat ik blij was dat ik aangenomen was. Ik had hen ervan overtuigd dat ze me moesten laten meedoen en ik had mijn zin gekregen. Maar mijn eerste gedachte was: o, god, nu moet ik erheen. Ik mocht dan kwaad zijn over de afwijzing, diep in mijn hart was ik er ook blij mee. Ik was namelijk doodsbang voor wat me te wachten stond en met die afwijzing was ik mooi weggekomen. Als ik er nu tussenuit kneep, was het mijn eigen schuld.

De enige andere keer dat ik voor een langere periode opgesloten heb gezeten was toen ik naar een oud klooster in Nederland ging om Nederlands te leren – twaalf uur Nederlandse les per dag, twee weken lang. Dat was een ramp.

Ik ben naar Nederland verhuisd zonder ook maar een woord Nederlands te spreken. Ik dacht heel naïef dat Nederlanders Engels spraken, dus dat het helemaal niet nodig was om Nederlands te leren. Het was niet in me opgekomen dat Nederlanders wel Engels spreken, maar dat ze toch de voorkeur geven aan Nederlands.

Toen ik eenmaal een paar maanden in Nederland woonde en me de taal een beetje eigen begon te maken, stuurde het bedrijf waarvoor ik werkte me naar het klooster. Het was een intensieve talencursus, in de Gouden Eeuw opgericht door nonnen om de zeelieden voor ze op reis gingen de taal te leren. Nu is het gewoon een heel dure en heel intensieve talencursus voor zakenmensen en rijke kinderen die op school onvoldoendes halen voor hun talen.

Aangezien het bedrijf de cursus voor me betaalde wilde ik hun toen ik terugkwam graag laten zien dat ze waar voor hun geld hadden gekregen. Ik vroeg een van de docenten om me te leren hoe ik moest zeggen 'I work for a pipe company'. Ik oefende het in het weekend en maandag wilde ik tijdens de lunch aan een van de directeuren laten horen hoe goed ik was. Ik zei dat ik voor een 'pijpenbedrijf' werkte.

Ik had het nog niet gezegd of iedereen viel stil en staarde me aan. Later nam mijn secretaresse me apart en vertelde me wat 'pijpen' betekende. Ja, wat hadden ze dan van een klooster verwacht?

Toen ik bij de nonnen was, moest ik elke dag huilen. Bij de boeddhisten was het niet veel anders.

26

Het kreng het zwijgen opleggen

Onderweg naar het Vipassana-meditatiecentrum bedacht ik dat ik eigenlijk helemaal niets over die mensen wist. Ondanks wat ik op de websites gelezen had kon het net zo goed een gestoorde religieuze sekte zijn die goedgelovige mensen lokte met de belofte van spirituele verlichting en ze dan in mootjes hakte, bij wijze van mensenoffer. Ik vroeg Chris of hij in de gaten wilde houden of er in het nieuws berichten over massale zelfmoord of bizarre rituelen verschenen. Hij legde een geruststellende hand op mijn knie en zei: 'Het komt allemaal goed, liefje.'

Bij de poort van het centrum nam ik geëmotioneerd afscheid van Chris met het gevoel alsof ik de oorlog inging. Toen ik op het hek een bord zag hangen met daarop de mededeling dat bezoekers pas op de elfde dag om halfzeven 's ochtends naar binnen mochten, draaide mijn maag zich om. Het ongemakkelijke gevoel werd nog erger toen ik naar binnen ging om me te melden en zag dat je daar je autosleutels moest inleveren. We zaten hier dus echt vast. Ze confisqueerden ook onze boeken, schrijfgerei, mobiele telefoons, iPods, sigaretten en medicijnen.

Ik keek even het vertrek rond naar de andere mensenoffers

en voelde me vreselijk tekortschieten. Was ik de enige die niet wist dat je een uniform aan moest, bestaande uit Birkenstocks en Thaise vissersbroek? Misschien zouden de andere cursisten me buitensluiten op grond van het feit dat ik een kantachtige jurk met borduursel droeg. Maar toen dacht ik: wat kan mij het ook schelen? We mogen toch niet met elkaar praten.

Nadat ik me gemeld had en alles wat ik bij me had en wat kon bliepen had afgegeven, ging ik naar mijn slaapzaal en maakte kennis met mijn kamergenoten. We mochten nog praten, dus ik stelde me voor en vroeg iedereen waarom ze gekomen was.

Sally was dertig jaar en personal assistent van een paar directeuren. Ze was bezig met haar persoonlijke ontwikkeling en was uit nieuwsgierigheid naar Vipassana gekomen. Ze was een grote fan van Anthony Robbins en vertelde iedereen op de zaal dat hij een geschenk van God was en het zuiverste hart had dat ze ooit bij iemand had meegemaakt. Ik vroeg wat ze dan van de Heilige Anthony had geleerd, en ze zei: 'Dat ik mijn wezen niet mag verloochenen.' Toen ze verderging over de kwaliteiten van het gruwelijke zelfhulpboek *The Secret*, hield ik mijn mond, maar ik vroeg me wel af waarom ze Vipassana nog nodig had als ze 'haar wezen' toch al niet 'verloochende' en in staat was alles kenbaar te maken wat ze wilde. Waarom maak je dan niet gewoon de kenmerken van Vipassana kenbaar en sla je die tien dagen zwijgen over?

Jo, een negenentwintig jaar oude architecte, die sjekkies rolde, kwam in de hoop dat ze met meditatie van haar slapeloosheid af geholpen zou worden. Ze zei dat ze al jaren niet geslapen had, en stoppen met roken zou ook mooi meegenomen zijn. Helen was vijfentwintig en werkte voor een reclamebureau. Ze kon niet onder woorden brengen waarom ze gekomen was, maar vertelde wel uitgebreid dat ze haar werk zo ontzettend leuk vond. Ze hield van de stress, het hoge tempo en ook dat ze naaldhakken naar haar werk aan kon. Ik dacht: geniet ervan zolang het duurt, meid. En Kelly, eenendertig jaar, lerares, was gekomen omdat een paar vriendinnen van haar de cursus hadden gedaan en hadden gezegd dat hun leven erdoor was veranderd. Haar vriendinnen hadden de cursus een paar jaar geleden gedaan, maar Kelly wilde wachten tot ze zich gelukkig in haar leven voelde en het dan pas proberen. Ze wilde de cursus niet als een escapistische exercitie gebruiken, en aangezien ze net getrouwd was en zich gesetteld voelde, dacht ze: dit is het juiste moment.

Een van Kelly's vriendinnen had de cursus niet afgemaakt. Ze was halverwege weggestuurd omdat ze haar hadden betrapt toen ze met een van de andere cursisten lag te neuken. Deze vriendin had niet alleen het verbod op 'seksueel wangedrag' overtreden, maar ze had zich ook buiten het kamp begeven. De leiders hadden voor de duur van de cursus inmiddels volledige scheiding van mannen en vrouwen ingesteld – wellicht in reactie op dergelijke overtredingen uit het verleden. De enige keer dat we de mannen zagen, was in de meditatiezaal. Maar zelfs daar hadden we ieder een aparte ingang en zaten mannen en vrouwen allebei aan een andere kant van de zaal.

De reden achter deze scheiding was dat alle sensuele of seksuele afleiding afwezig moest zijn. Ik vond het wel geestig dat deze regel zo door en door heteroseksueel was – we mochten niet naar mannen kijken, maar wel met vrouwen in dezelfde kamer slapen. De Dalai Lama schijnt gezegd te hebben dat homoseksualiteit in het boeddhisme als seksueel wangedrag wordt beschouwd. Misschien zat dat er wel achter; alle seksuele afleiding voor zowel hetero's als homo's uit willen bannen zou namelijk op een logistieke nachtmerrie uitdraaien.

Tijdens de introductie op de eerste avond werd ons verteld

hoe het rooster voor de komende tien dagen eruit zou zien. Om vier uur opstaan, van half vijf 's ochtends tot negen uur 's avonds mediteren en om half tien naar bed. Elke dag! Tien dagen lang! We zouden om half zeven ontbijten en om elf uur lunchen. Na twaalf uur werd er niet meer gegeten, behalve door nieuwe cursisten, want die mochten, als ze dat wilden, om vijf uur wat fruit eten. Dat wilde ik, o mijn god, dat wilde ik.

Jo, de architect, had een maagzweer, dus zij mocht 's avonds een echte maaltijd gebruiken. Het is verbazingwekkend hoe lekker bruine rijst en salade kan zijn als je honger hebt. Elke avond zat ik in de eetzaal mijn appel weg te werken en wenste dat ik ook een maagzweer had.

Na de introductie legden we de eed van de edele stilte af. Dit betekende dat geen enkele vorm van communicatie was toegestaan: niet praten, geen oogcontact, geen enkele interactie. We mochten tijdens de lunch vijf minuten vragen stellen aan de leraar, en om negen uur weer, en als we een praktische vraag hadden, bijvoorbeeld dat we een stuk zeep nodig hadden, mochten we die aan de manager stellen. Verder waren we aan onszelf overgeleverd.

Ik heb de edele stilte maar één keer verbroken en ben daarvoor berispt. Ik vroeg aan een meisje in mijn kamer of ze 's nachts de deur wilde laten openstaan voor wat frisse lucht. Ze zei dat dat niet kon, omdat er gaten in de hordeur zaten, waardoor er muggen naar binnen konden. Aangezien we ons op boeddhistische grond bevonden mochten we die ellendelingen niet doden, dus ik stelde voor om sokken in die gaten te stoppen. De manager was in geen velden of wegen te bekennen toen ik mijn mond open deed, maar voor ik het wist kwam ze op me af en gaf me een uitbrander. Ik had het gevoel alsof ik op schoolkamp was.

Afgezien van het feit dat het heel onhandig was als je praktische dingen wilde regelen, was de edele stilte onwaarschijnlijk eenzaam. Veel eenzamer dan ik had verwacht. Ik verlangde verschrikkelijk naar de warmte en stimulans van interactie met andere mensen – een hartelijke blik, een geruststellende glimlach. Mijn eenzaamheid was het ergst tijdens de lunch als ik in de tuin liep te huilen, en verder 's avonds in bed, wanneer ik ernaar verlangde om Chris in mijn armen te hebben. Ik huilde niet woest of overvloedig. Ik wist niet eens waar ik eigenlijk om huilde. Maar elke keer bij de lunch, en elke avond, vulden mijn ogen zich steevast met zachte, zachtmoedige tranen. Slapen was uitgesloten. Het is moeilijk om in slaap te vallen als je maag leeg is en je hoofd vol.

Nog erger dan de eenzaamheid was de stem van het krengetje in mijn hoofd – het krengetje dat er altijd als de kippen bij is om te zeggen dat ik niet goed genoeg, niet slim genoeg, niet mooi genoeg, niet slank genoeg ben. Omdat er verder niemand was die haar het zwijgen kon opleggen, posteerde ze zich pontificaal midden in mijn hoofd en dreef me tot waanzin. Op dag drie was ik bereid haar te vermoorden. Naarmate de tijd verstreek werd ze wat zwijgzamer, en de laatste paar dagen heb ik haar bijna niet meer gehoord. Toen ze weer wat zei, was het niet meer gemeen; misschien zijn we zelfs vriendinnen geworden. Het was een hele opluchting dat ik dat kreng het zwijgen op had weten te leggen.

27

Sensationeel

Heb je enig idee hoe saai het is om dertien uur per dag naar het puntje van je neus te kijken?

De eerste drie dagen van de Vipassana-cursus moesten we 'onze geest scherpen', om alle verschillende sensaties in ons lichaam te kunnen waarnemen en je erop te kunnen concentreren. In de praktijk betekende dit dat je je op het stukje huid tussen het puntje van je neus en de bovenkant van je lip moest concentreren.

Ik was er nog maar een paar uur toen mijn geest me al begon toe te schreeuwen: 'Je kunt je niet tien dagen van je leven op vijf vierkante centimeter van je lichaam concentreren. Zo gestoord ben je nou ook weer niet.'

Naarmate de uren verstreken merkte ik dat ik mijn adem al beter mijn neus in en uit voelde gaan, maar ik kon mijn aandacht er maar voor een paar ademhalingen per keer bijhouden. Ik dacht aan van alles en nog wat, variërend van alle mensen die me in mijn leven ooit onrechtvaardig hadden behandeld, dat ik zo'n zin had om met Chris te neuken, tot wat ik verder met mijn leven moest. Maar ik dacht vooral aan alle redenen waarom ik hier weg moest. Ik begon patronen te zien: Goenka heeft een dikke pens, Boeddha heeft een dikke pens, dus als ik hier blijf krijg ik ook een dikke pens.

Dit soort concentratie schijnt gebruik te maken van je onderbewuste, waardoor alle bagage en dingen waar je mee zit loskomen. Goenka zegt dat onze geest afdwaalt omdat we onszelf proberen af te leiden van de pijnlijke werkelijkheid die diep binnen in ons ligt. Ik moet wel heel veel bagage hebben, want mijn geest werd voortdurend afgeleid door gedachten over naar huis gaan. Ook al probeerde ik mezelf voor te houden dat het maar om tien dagen van mijn leven ging en dat ik alles wel tien dagen kon volhouden, toch wilde ik daar hard gillend wegrennen. Als ik niet zo trots was, had ik dat waarschijnlijk ook gedaan.

Sally, die zo lovend over Anthony Robbins had gesproken, vertrok halverwege de eerste dag. Toen ik zag dat ze door de poort naar buiten werd begeleid, was ik in eerste instantie jaloers. Ik nam aan dat haar geest al dwalend een goede reden was tegengekomen om te vertrekken; ik denk niet dat ze er lang genoeg is geweest om met iemand naar bed te gaan. Het verbaasde me niet dat ze wegging. Vipassana is het tegenovergestelde van Anthony Robbins. Hier had je geen popconcerthype of een tribune waarop 'ik raak elke dag in elk opzicht verlichter' werd gescandeerd.

Ik ben nog nooit bij een van zijn bijeenkomsten geweest, maar ik heb wel naar een paar cd's van hem beluisterd en talloze infomercials op televisie gezien, en voor zover ik het kan beoordelen draait het er bij Anthony Robbins om dat hij mensen ogenblikkelijk energie en een goed gevoel over zichzelf geeft, terwijl je bij Vipassana ontzettend je best moet doen en veel pijn moet ervaren voordat het iets oplevert. Ik begin me te realiseren dat de vruchten van Vipassana veel langduriger zijn dan de hype die mensen wil motiveren. Mijn ervaring is dat de hype en de kick van sprekers die je willen motiveren al afneemt voordat je de parkeerplaats van het stadion af rijdt. Daarom zal het ook wel zo'n succesvolle zakelijke formule zijn. Mensen moeten steeds terugkomen om hun portie Persoonlijk Talent weer binnen te krijgen.

Op de vierde dag ging er nog een vrouw weg. Dat verbaasde me, want op dag vier begon het net interessant te worden – en pijnlijker. Die dag mochten we ons drie uur lang niet bewegen. Doodstil zitten als een boeddhabeeld, met je rug recht en je benen gekruist, gaat verschrikkelijk pijn doen. Ik had soms zo'n lichamelijke en emotionele pijn dat ik dacht dat ik moest overgeven. De vrouw die voor me zat overkwam dat ook. Ik had medelijden met de mannen, die van nature minder soepel zijn dan vrouwen. Als het voor mij pijnlijk was, moet het voor hen een hel geweest zijn.

Afgezien van stilzitten werd ons ook de techniek van de Vipassana-meditatie geleerd. Tot mijn opluchting kwam daar meer bij kijken dan alleen maar naar het puntje van je neus staren. Je moest je hele lichaam langsgaan om alle verschillende sensaties waar te nemen en dan leren om objectief en gelijkmoedig tegenover die sensaties te staan. Dat betekende dat je neutraal en afstandelijk moest blijven, of het nu om een prettige of pijnlijke sensatie ging. Het doel hiervan was dat je leerde om niet naar de prettige sensaties te hunkeren en geen afkeer te voelen voor de pijnlijke. Dit is gebaseerd op het boeddhistische principe dat het hele leven uit lijden bestaat en dat alle lijden wordt veroorzaakt doordat je naar dingen hunkert of een afkeer ontwikkelt van de dingen die je niet wilt. Als je jezelf bevrijdt van de hunkering en de afkeer, bevrijd je jezelf van het lijden. Dus toen ik een uur drijfnat van het zweet stil had gezeten en het gevoel had dat ik overreden was door een truck en met zout bedekt, moest ik mijn pijn met gelijkmoedigheid tegemoet treden. Je behoudt je gelijkmoedigheid ook door je niet te bekommeren om de reden waarom je die sensatie hebt – of daar nu een lichamelijke verwonding uit het verleden, de belasting van het stilzitten of een emotionele sensatie de oorzaak van is. Een sensatie is een sensatie is een sensatie.

Tenminste, zo luidt de theorie. In de praktijk bleek het een stuk moeilijker om mijn objectiviteit in stand te houden.

Mijn geest was scherper doordat ik drie dagen naar mijn neus had gekeken, en daardoor was ik in staat om mijn lichaam na te lopen en allerlei soorten gewaarwordingen te bespeuren. De pijn was vrij gemakkelijk waar te nemen, maar ik voelde ook subtiele vibraties door mijn lichaam lopen. Toen ik 's avonds in bed lag, vibreerde ik zo sterk dat ik het gevoel had dat ik een stemvork was. Soms had ik het gevoel dat er elektriciteit door mijn lichaam liep, en andere keren was het weer net alsof er mieren over me heen kriebelden.

Na een tijdje had ik door dat er een link bestond tussen emoties en lichamelijke sensaties. Als ik aan iets confronterends dacht, en er kwam een pijnlijke of vervelende emotie opzetten, bespeurde ik een corresponderende sensatie in mijn lichaam. Na een paar dagen was ik erachter dat een emotie in feite gewoon een lichamelijke sensatie was. En aangezien ik de pijn van het stilzitten kon verdragen, kreeg ik er ook meer vertrouwen in dat ik de sensaties van pijnlijke emoties aankon.

Op de achtste dag dribbelde mijn zwarte hond de meditatiezaal binnen en legde zijn poot zwaar op mijn schouder. De grijze wolken die hij altijd met zich meebrengt, bedrukten me. Nu waren ze zo drukkend dat ik bijna geen adem kreeg – dit keer zou het een zware kluif worden. Toen herinnerde ik me de principes van Vipassana. Ik draaide me naar hem om en zei: 'Hé, knul, wat heb ik jou een tijd niet gezien.' Hij drukte zijn poten in mijn schouder en er schoot een vlammende pijn door mijn lichaam. 'Weet je dan niet waarvoor ik gekomen ben?' vroeg hij.

Ik deed mijn best om objectief naar de pijn te kijken en zei: 'Nee, bedankt, dat is niet belangrijk meer voor me.' Hij ontblootte zijn tanden en gromde dreigend naar me. Ik zei: 'Moet je horen, vriend, je mag gerust blijven, maar je moet wel de edele stilte in acht nemen, net als wij allemaal. Het draait hier niet alleen om jou, hoor.' Ik ging verder met mijn meditatie en probeerde me op alle andere sensaties in mijn lichaam te concentreren. Na een tijdje merkte ik dat hij weg was en dat hij de grijze wolken had meegenomen. Dikke, onhandige, gelijkmoedige tranen rolden over mijn wangen en ik realiseerde me: 'Verdomme, dit werkt echt.'

Toen ik die avond in bed lag en mijn buik voelde rommelen, dacht ik aan mijn zwarte hond en begreep ik dat ik niet bang meer voor hem hoefde te zijn. Mijn depressie had me altijd volledig overweldigd. Het was net alsof die mijn hele wezen in beslag nam, en ik leefde in een voortdurende angst dat hij, als hij zich eenmaal aandiende, nooit meer weg zou gaan. Nadat ik in de meditatieruimte objectief naar mijn depressie had gekeken, realiseerde ik me dat die niet mijn hele wezen in beslag nam. In werkelijkheid kreeg ik een zwaar gevoel op mijn hoofd en schouders en een gespannen gevoel in de maagstreek. Het was heel verhelderend om in te zien dat emotionele pijn in feite gewoon uit lichamelijke sensaties bestond, niet anders dan de pijn in mijn rug en knieën die ik de zeven dagen hieraan voorafgaand had gevoeld. En nadat ik die had uitgezeten en al die andere sensaties had overleefd, wist ik dat alle pijn op een gegeven moment weer weggaat en dat ik sterk genoeg ben om die aan te kunnen.

Op dit moment zegt u waarschijnlijk bij uzelf: 'Ze is niet goed wijs. Dat is veel te simplistisch gesteld.' En ik kan het je niet kwalijk nemen. Vroeger kon ik razend worden als mensen tegen me zeiden dat je depressie en angsten te lijf moest gaan door 'ernaar te luisteren'. Hoe kon ik nou publiek en acteur tegelijkertijd zijn, vooral als ik midden in een aanval zat? Ik was niet in staat over wat dan ook objectief te zijn, en al helemaal niet over mezelf. Maar nu heb ik het ervaren. Nu begrijp ik het.

Ik weet zeker dat mijn zwarte hond nog wel een keer terugkomt, maar ik weet ook dat ik gelijkmoedig naar de zwaarte en de spanning moet kijken, tot hij weer weggaat. Ik kan je niet vertellen hoe bevrijd en krachtig ik me hierdoor voel.

De volgende dag had ik een soortgelijke ervaring, maar dit keer ging het over woede. Terwijl ik zat te mediteren stroomden er gedachten over mijn ouders mijn geest binnen. Ik dacht aan wat ze me de afgelopen paar jaar sinds hun scheiding hadden aangedaan en hoe vreselijk ik daaronder geleden had. Ik werd verteerd door woede, maar wederom observeerde ik mijn sensaties. Mijn kaak spande zich, mijn handen beefden en mijn maag brandde. Ik nam deze sensaties objectief waar, totdat ze voorbijgingen, maar toen begon ik me belachelijk te voelen. Door het verband tussen emoties en lichamelijke sensaties te leggen realiseerde ik me dat ik door de woede jegens mijn ouders in stand te houden, mijn eigen lijden liet voortduren. Als ik boos op hen word, ben ík degene die zich rot voelt, niet zij; zij weten het niet eens. Het slaat natuurlijk nergens op dat je jezelf een rotgevoel bezorgt, dus besloot ik mijn woede en wrok los te laten.

Halverwege de tiende dag mochten we praten. Ik had gehoord dat na tien dagen zwijgen en lichamelijk belastende meditatie de emoties zo heftig loskomen dat het een euforische ervaring zou zijn. Een reusachtig orgasme, luidde de precieze metafoor. Als er zoiets bestaat als een slecht orgasme, dan beleefde ik dat toen. Toen de mensen de meditatiezaal verlieten, pratend en lachend, werd ik overspoeld door emotie en wanhoop. Ik ontweek iedereen en ging linea recta naar de wc's, waar ik mijn ogen uit mijn lijf jankte.

Terwijl ik daar in m'n eentje op het koude porselein zat, had ik het gevoel alsof ik alle lichamelijke en emotionele pijn die ik ooit in mijn leven had meegemaakt, in één keer herbeleefde. Het gepraat en gelach op de achtergrond van de andere cursisten maakten mijn pijn er alleen maar heviger op. Ik ging naar de assistent-docent om te zeggen hoe ik me voelde, en hij zei wat hij altijd zei: dat ik de sensaties gelijkmoedig moest waarnemen. Ik zei dat ik de theorie begreep, maar hoe kwam het dan dat iedereen opgetogen was en ik het gevoel had dat ik bedrogen uit was gekomen? Ik had die tien dagen ellende toch niet doorstaan om me aan het eind zo klote te voelen?

Hij zei: 'Je geest heeft net gedurende tien dagen een ingrijpende operatie ondergaan. Ik denk dat je de techniek goed begrijpt, dus de incisie is bij jou heel diep gegaan. Als je in iets snijdt wat ontstoken is, komt er pus uit. Het doet pijn als de pus eruit komt, maar het is wel noodzakelijk voor de genezing. De wond doet misschien nog een paar dagen pijn. Geef het de tijd.'

Aan het eind van dag tien kregen we een toespraak van Goenka, over hoe we de meditatie in de praktijk moesten volhouden. In die tien dagen hadden we alleen maar een zaadje van vrede en geluk geplant. Meditatie was iets wat je je hele leven moest blijven doen, en om het goed te doen moesten we elke dag twee uur mediteren.

Wat? Had ik al die ellende doorstaan met louter een zaadje als resultaat? Ik wil verdomme helemaal geen zaadje. Ik wilde het licht zien. Ik voelde me even besodemieterd, maar realiseerde me toen dat het achttien jaar had geduurd om me academisch te laten scholen, dus dat het een beetje onrealistisch was om in slechts tien dagen spirituele verlichting te verwachten. Gedurende de cursus had ik wel twee keer even een glimp van die spirituele verlichting opgevangen. Het duurde maar heel even, maar het was voor mij genoeg om te begrijpen wat het was en me ervan te overtuigen dat dat was wat ik wilde.

Op de achtste dag, vlak voordat mijn zwarte hond ten tonele verscheen, en op de negende dag weer, had ik gevoeld dat ik mijn lichaam ontsteeg. Plotseling merkte ik dat ik van buiten mijn lichaam naar mezelf en naar alles keek. Op die momenten voelde ik de sensaties in mijn lichaam niet meer – ik voelde zelfs helemaal niets. Het was meer een weten dan een voelen. Heel even wíst ik liefde, vrede en alles. Of misschien wás ik wel liefde, vrede en alles. Maar zodra ik geregistreerd had wat er gebeurde, was ik weer terug in mijn lichaam, terug in de pijn en het zweet van de meditatieruimte. Het duurde maar heel kort en het was zo moeilijk te beschrijven dat ik ergens wil denken dat ik het me maar verbeeld heb, of dat ik misschien even buiten bewustzijn ben geraakt van de pijn. Maar op de een of andere manier wéét ik het gewoon.

Je zou je gemakkelijk door zo'n transcendente ervaring kunnen laten bedwelmen en ernaar gaan hunkeren, maar volgens Goenka gebeurt het juist niet als je ernaar hunkert. Je moet je verlangen en afkeer overstijgen – in een toestand van gelijkmoedigheid. Het lijkt de ultieme paradox – hoe meer je iets wilt, hoe meer het je ontglipt. Hij zou volgens mij wel eens gelijk kunnen hebben, want het is me niet nog een keer gebeurd. En ook al weet ik dat ik het niet moet willen, toch wil ik het heel graag. Ik zal nog wel een hele weg te gaan hebben voordat uit mijn zaadje de boom der verlichting groeit.

Van Vipassana-meditatie hoor je ook meer liefde en mededogen te gaan voelen. Het kan zijn dat het een beetje gewerkt heeft, maar op dag tien werd me toch duidelijk dat ik dat mededogen echt nog onder de knie moest krijgen. Toen ik op de wc uitgehuild was, ging ik naar de eetzaal om met de andere cursisten te praten. De eerste met wie ik sprak was een man van middelbare leeftijd die me elke dag was opgevallen, omdat hij als we niet mochten bewegen heel luidruchtig ging ademen, alsof hij aan het bevallen was. Hij zei dat hij dolgraag wilde weten hoe de beurs ervoor stond en begon toen op te sommen wat voor aandelen hij allemaal had. Voor ik mezelf ervan kon weerhouden dacht ik: wat ben jij een lul. Toen herinnerde ik me dat ik liefde en mededogen voor alle mensen moest voelen, dus excuseerde ik me beleefd. In dat mededogen zou nog wel wat tijd gaan zitten.

Die avond hoorde ik een paar mannen in hun kamer praten. Zo te horen konden ze na hun heftige spirituele reis alleen maar over seks praten. Ik had het er niet over, maar ik dacht er wel aan. Dat was het eerste wat ik wilde doen zodra ik thuis was, nadat ik eerst iets vettigs had gegeten. Met dat verhoogde bewustzijn van mijn lichamelijke sensaties was de seks geweldig. Misschien was die euforische orgastische ervaring die ons aan het eind van de cursus was beloofd wel letterlijk bedoeld, en niet symbolisch. Hoe het ook zij, de gelijkmoedigheid was ver te zoeken.

28

De openbaring

Heeft Vipassana mijn leven veranderd? Waren al die uren van concentratie, pijn en transpiratie de moeite waard?

Toen ik na tien dagen de cursus verliet, had ik niet de openbaring meegemaakt waarop ik had gehoopt. Ik had niet dat ene antwoord gevonden op de vraag wat ik verder met mijn leven moest om me betekenisvol te voelen en voldoening te ervaren. Ik had niet mijn betrokkenheid teruggevonden. Maar andere mensen wel. Eén mevrouw vertelde me met de tranen in haar ogen dat ze al veertig jaar naar antwoorden zocht en dat ze die nu gevonden had. Het enige probleem was dat ze ze niet onder woorden kon brengen, dus ik kan u ook niet vertellen hoe die luidden.

Andere mensen beweerden, toen ik ze een paar maanden later sprak, dat hun huwelijk erop vooruit was gegaan; weer anderen dat ze er sneller en langer door konden hardlopen; en er waren mensen die zeiden dat ze afgevallen waren. Ik was ook afgevallen, maar dat kwam doordat ik tien dagen lang geen avondeten had gehad.

Eén man die samen met mij de cursus had gedaan, leerde er omgaan met zijn woede en afwijzing over het feit dat hij geadopteerd was. Zijn eerste cursus had hij twee jaar daarvoor gedaan, nadat hij een zenuwinzinking had gehad. Hij was behoorlijk in de war geweest nadat hij zijn biologische moeder voor het eerst had ontmoet en was in reactie daarop gaan drinken, blowen en ruziemaken met zijn vrouw. Hij zei dat de eerste cursus hem er veel bewuster van had gemaakt hoe hij op dingen in zijn leven reageerde en dat hij zich na de cursus veel minder boos voelde. Het eerste halfjaar had hij zich fantastisch gevoeld; hij was opgehouden met drinken en roken en in zijn gezin verliep alles harmonieus. Maar hij zei dat het na een maand of negen was uitgewerkt en dat hij toen weer die chagrijnige hufter was geworden. Dus zijn vrouw had hem weer naar de cursus gestuurd. Toen ik hem aan het eind sprak, zei hij dat hij het gevoel had dat hij veel woede kwijt was.

Een emotionele ontgiftingskuur, dat is nog een van de beste manieren om de cursus te omschrijven. Bijna iedereen die ik gesproken heb zei dat hij zichzelf bevrijd had van negatieve emoties, of dat nu woede, schuldgevoel, jaloezie of angst was. Ik begrijp nu wel waarom ik aanvankelijk afgewezen ben. Om die emoties te kunnen ontgiften moest je bereid zijn ze te voelen en er iets mee te doen. De cursus was in emotioneel opzicht enorm confronterend en als je niet in topvorm verkeerde, kon het nog een zware dobber worden. Een van de cursisten was psychiater en zei dat ze iedereen die een psychische aandoening had gehad sterk zou afraden de cursus te volgen. Ze zei dat het in dat soort gevallen heel schadelijk kan zijn om de blik naar binnen te richten en jezelf aan nog meer pijn bloot te stellen.

Ik denk ook niet meer dat het boeddhisme een egoïstisch streven is. Het doel van meditatie is om jezelf te helpen, maar het einddoel is dat je anderen helpt. Dat is het tegenovergestelde van wat ik van het christendom weet, waarin men zegt dat je door andere mensen te helpen zelf een beter mens wordt en dus ook jezelf helpt. Het boeddhisme benadert het van de andere kant en beweert dat je, als je aan jezelf werkt minder boos wordt, minder snel reageert en meer mededogen voelt, en dat je daar op jouw beurt weer andere mensen mee helpt. Dat vind ik nu wel logisch. Mijn gedrag wordt nu minder aangestuurd door mijn reactie op dingen. Gebeurtenissen die me voorheen geïrriteerd zouden hebben, zitten me nu niet meer dwars, dus reageer ik er ook niet meer op een heetgebakerde manier op.

Ik wou dat ik kon zeggen dat ik het mededogen ook onder de knie had, maar dat is niet het geval. Ik vind dat ik nog steeds kritisch en veroordelend ben ten aanzien van andere mensen, maar ik geloof wel dat het minder is dan voorheen. Als mensen zich vervelend gedragen denk ik niet meer zo snel 'wat een lul', maar eerder dat diegene baat zou hebben bij tien dagen Vipassana.

Ik ben ook minder kritisch ten opzichte van mezelf. Vroeger keek ik elke ochtend als ik net uit bed was in de spiegel en dan zag ik acnelittekentjes en rimpels. Nu kijk ik in de spiegel en zeg ik tegen mezelf: 'Lekker ding.' Mijn vriendin Jules raadt me aan om in de spiegel te kijken en hardop te zeggen: 'Wat ben jij sexy, ik zou wel met je naar bed willen.' Hoe meer mensen er in de buurt zijn die dat kunnen horen, hoe meer voldoening het schijnt te geven. Ik kan me er niet echt toe zetten, maar mijn innerlijke stem is zonder meer een stuk aardiger voor me dan vroeger.

Thuis mediteer ik nog steeds. Ik doe het niet iedere dag, maar wel een paar keer per week. Aan het eind van zo'n sessie kan ik verbazingwekkend helder nadenken. Elke keer dat ik mediteer heb ik het gevoel dat ik mijn innerlijke vrede en harmonie aanvul.

En op een dag, op een moment dat ik het helemaal niet verwachtte, zat ik op mijn meditatiekussen en viel alles op zijn plaats. Plotseling was daar de openbaring waarnaar ik op zoek was geweest. Het was alleen niet wat ik ervan verwachtte, en het was een beetje teleurstellend.

Mijn openbaring was... tijdelijkheid. Terwijl ik daar de sensaties in mijn lichaam zat te observeren begreep ik eindelijk wat het begrip tijdelijkheid inhield en wat dat voor mijn leven betekende. Alle sensaties, de goede, de slechte en de euforische hebben hetzelfde kenmerk: ze komen opzetten, blijven een tijdje en gaan dan weer weg. Ik vertaalde dit concept naar mijn leven en naar mijn zoektocht naar betekenis en voldoening, en realiseerde me dat, zelfs als ik 'het antwoord' vond, het toch maar voor een beperkte tijd 'het antwoord' zou zijn. Ik zou veranderen, het zou veranderen en de wereld zou veranderen. Net zoals ik managementconsultancy vroeger het einde vond en nu doodsaai, zal het antwoord dat ik hierna vind ook na verloop van tijd veranderen.

Tot dit inzicht zou ik waarschijnlijk op een gegeven moment zelf ook wel gekomen zijn, want zowel Caroline als Kate had precies hetzelfde gezegd. Maar op de een of andere manier moest ik het zelf voelen voor ik het kon begrijpen. En net als bij hen zorgde dit inzicht er bij mij ook voor dat de druk van de ketel ging. Ik hoef niet meer op zoek te gaan naar iets wat zo groot en belangrijk is dat ik er de rest van mijn leven mee kan doen. Ik hoef niet naar één monolithisch antwoord te zoeken. Ik hoef alleen de volgende waterlelie te zoeken en daar op te springen. En als ik daarmee klaar ben, spring ik gewoon op de volgende. In plaats van stil te blijven staan en gefrustreerd en ontgoocheld te wachten tot de beste waterlelie voorbij komt zoals Peter doet, kun je misschien beter gewoon het risico nemen en de sprong wagen. Het is niet eens zo'n groot risico, want die waterlelie is van tijdelijke aard en vroeg of laat spring ik toch weer op de volgende waterlelie.

Ik heb een advocate ontmoet die de Vipassana-cursus ook heeft gedaan en die net op het punt stond om op haar volgende waterlelie te springen. Sophie is een indrukwekkende vrouw. Ze is sterk, welbespraakt, staat met beide benen op de grond en weet zich staande te houden in een keiharde mannenwereld. Aanvankelijk leek de advocatuur haar wel leuk vanwege de glamour en het aanzien. Toen ze een tijdje op kantoor had gewerkt besloot ze strafpleiter te worden, omdat het werk in de rechtszaal haar veel spannender leek dan alleen maar de papierwinkel. Sophie heeft hard gewerkt en veel opgeofferd om te bereiken wat ze nu heeft bereikt, maar nu is ze ook een dertiger die er helemaal klaar mee is.

'Ik heb het gevoel dat ik een andere levensfase ben ingegaan waarin mijn carrière niet mijn enige optie is,' zei ze. 'Ik wil adem kunnen halen en van het leven genieten. Ik wil een ander leven.'

'De strafadvocatuur is heel stressvol. Als je eenmaal met een proces bezig bent, neemt dat je hele leven in beslag. Sommige mensen nemen hun tandenborstel mee naar kantoor en bivakkeren daar gewoon tot het proces achter de rug is.' Sophie wil zo niet meer leven. 'Ik neem gas terug. Ik ben niet meer zo ambitieus als vroeger en ik wil graag kinderen. Dit is geen goede baan als je een relatie wilt.'

Ze heeft het ook helemaal gehad met de mannencultuur, de grote ego's en de competitiegeest. Ze is haar vertrouwen in het recht verloren. 'Ik geloof niet dat het erom gaat dat je zorgt dat mensen recht wordt gedaan. Het is heel gevoelig voor menselijke fouten. Soms weet ik iemand vrij te pleiten en dan denk ik: je hebt het gedaan, ik weet gewoon zeker dat je het gedaan hebt.'

Toen het tot Sophie doordrong dat ze niet meer zo hard haar best deed als anders en dat gelijk krijgen en winnen niet meer zo belangrijk voor haar waren, besloot ze dat het tijd was om iets anders te gaan doen.

Ze heeft zich ingeschreven voor een studie journalistiek aan de universiteit. Bij het toelatingsgesprek werd ze gewaarschuwd voor hoe het was om beginnend journalist te zijn. Hoogstwaarschijnlijk moest ze beginnen met stukjes over het plaatselijke voetbalteam schrijven, of over een jongen die een kat uit een boom had gered. Haar inkomen zal armzalig zijn vergeleken met wat ze als advocate verdiende. Ik vroeg of ze daarop voorbereid was. Ze zei dat haar besluit om journalistiek te gaan studeren niet bedoeld was om linea recta op een nieuwe carrière af te stevenen, maar dat het een stap was om nieuwe vaardigheden op te doen om de dingen te kunnen doen die ze leuk vindt in het leven. 'In deze fase van mijn leven gaat het om verkennen en ontdekken,' zei ze. 'Ik wil graag op mijn gevoel leven. Het gaat niet meer om een carrière. Ik wil gewoon leven, me energiek en goed voelen, betrokken en enthousiast.'

Ik vroeg Sophie in welk opzicht Vipassana invloed had gehad op haar besluit. Ze zei dat ze zich gerealiseerd had dat het leven 'niet om geluk gaat, maar om vrediger en rustiger zijn. Geluk is iets heel tijdelijks.'

29

Madame Barbara

Emma was aan haar zwerffase begonnen. In plaats van haar tijd in de dierenwinkel door te brengen zoals ik, vertelde ze haar collega's dat ze afspraken buiten de deur had met klanten en leveranciers en bracht ze haar tijd door in cafés, winkels en parken. Op een middag belde ze me ontdaan op. 'Zo veel mensen als er midden op de dag in het park zijn, dat geloof je toch gewoonweg niet?' zei ze. 'Dat kunnen echt niet allemaal moeders en mensen in ploegendienst zijn. Ze werken vast allemaal voor zichzelf en ze zien er allemaal gelukkig uit. Waar ben ik mee bezig, Kase? Ik wil ook zelfstandig ondernemer zijn, en gelukkig.'

Emma stelde radeloos voor om samen naar de beurs *Mind, Body and Soul* te gaan, op zoek naar inspiratie. Zij staat nog sceptischer tegenover dolfijnen en magie dan ik. We hebben een keer een bumpersticker gezien met de tekst MAGIE BESTAAT ECHT, waarop Emma's antwoord luidde 'wiegendood ook'. Dus haar voorstel om eens een kijkje te nemen bij de newagebeweging gaf wel aan dat ze voorlopig nog geen oplossing voor haar dertigerscrisis zag.

We gingen erheen om antwoorden te zoeken. We vonden een hele industrie die kwetsbare mensen mooie dingen probeert aan te smeren.

Ik liep van kraampje naar kraampje en voelde me kwaad en ongemakkelijk, maar kon niet echt ontdekken hoe dat nou kwam. Emma sloeg de spijker op de kop. 'Moet je die mensen zien,' zei ze. 'Het zijn mislukkelingen en ze spenderen honderden dollars aan lavendelolie en engelenbeeldjes in de hoop dat die hun leven zullen veranderen.'

En ze had gelijk. De clientèle bestond niet uit rijke elitaire mensen die geld in overvloed hadden. Dit was niet zomaar een leuk dagje uit; er hing wanhoop in de lucht, vermengd met de geur van patchouli en lavendel. Ik had het gevoel dat sommige van deze mensen hun huishoudgeld inruilden voor een droom – een eenvoudige oplossing waarmee je bij lange na geen ingewikkeld probleem kon verhelpen. Hier werden 'mind, body and soul' niet gekoesterd, maar uitgebuit.

We woonden een seminar bij, waar een vrouw die onlangs tot 'heks van het jaar' was gekroond, vertelde hoe een combinatie van kristallen en het advies in de boeken die ze geschreven had (die achterin voor 29,95 dollar per stuk te koop waren) ons leven zou veranderen. Toen een vrouw in het publiek vroeg of ze daarmee ook het misbruik dat ze in haar jeugd had ondergaan, haar nare scheiding en ontspoorde zoon te boven zou komen, werd ik misselijk. Deze vrouw moest niet een paar honderd dollar aan stenen en werkboeken uitgeven, deze vrouw had een ervaren psycholoog nodig in plaats van de affirmaties van de Heks van het Jaar.

Het hoogtepunt was de advertentie voor tantraseks. Daarin werd voor mannen een les van een uur, een op een, met een tantragodin aangeboden, en voor vrouwen een massage van een uur. Ja hoor, dus de mannen kregen een wip en de vrouwen een massage. Dé manier om van prostitutie een spirituele ervaring te te maken.

De beurs werd gehouden tegenover een casinogebouw, en

dat vond ik toch wel ironisch. Ondanks de gebatikte paarse kaftans, de dreadlocks en de emblemen van Moeder Aarde, waren deze mensen net zo meedogenloos commercieel als de casinomedewerker die fiches aan gepensioneerden verkocht. Aan weerskanten van de weg waren mensen bereid hun spaargeld uit te geven aan een instantoplossing. En aan weerskanten van de weg sloegen mensen munt uit de verkoop van escapisme en valse hoop. De newage-industrie is net zo verslavend als de fruitautomaten – op het pad naar de verlichting kwam je alle mogelijke verkooptechnieken tegen.

Misschien hadden Emma en ik te diep ingeademd en begonnen we echt te geloven dat magie bestond. Ondanks onze scepsis besloten we de hulp in te roepen van een helderziende – een wijze vrouw met een rechtstreekse verbinding met de kosmos.

Ik ben één keer eerder met een helderziende in contact geweest en dat heeft de reputatie van het vak geen goed gedaan. Ik ging erheen met mijn vriend Robert, die indertijd medicijnen studeerde. Robert had niet veel geld bij zich, dus we vertelden de helderziende dat hij werkloos was en vroegen om korting. Ze stemde ermee in om voor de helft van de prijs een reading bij hem te doen, maar had vervolgens niks anders te melden dan dat hem zeer binnenkort een baan aangeboden zou worden. Volgens de geesten zou hij binnenkort een baan aangeboden krijgen als bouwvakker. Geheel tegen de voorbestemming van de kosmos in maakte Robert de laatste drie jaar van zijn studie medicijnen af, zonder ook maar één keer de kans te hebben om van boven op een steiger 'laat je tieten eens zien' te brullen.

Madame Barbara was Emma door een vriendin aanbevolen. De vriendin zei dat Madame Barbara er met haar readings voor had gezorgd dat haar leven was veranderd en dat ze zwanger was geworden. Misschien kon ze ons helpen onze symbolische baby's te verwekken.

Zodra ik Madame Barbara ontmoette, begreep ik waarom ze zo goed aangeschreven stond. Het was troostrijk en prettig om alleen al bij haar te zijn. Ik voelde haar energie als warm zonlicht op een heldere ochtend van haar af stralen. Het viel moeilijk te zeggen hoe oud ze was. Ze had rimpels op haar gezicht die er minstens zeventig jaar over hadden gedaan om er zo uit te zien, maar haar ogen fonkelden als die van een nieuwsgierig kind. Ze had een wijde paarse rok aan en droeg aan iedere vinger een ring met een edelsteen. Wat hebben die newagemensen toch met paars?

Toen ze me bij de deur van haar huis begroette, keek ik over haar schouder en zag achter in het huis een berg vuile paarse kleren in een mand. Ik neem aan dat zelfs helderzienden zich zo nu en dan met huishoudelijke taken moeten bezighouden, maar toen ik bij haar in haar spreekkamer zat, had ik zo kunnen denken dat zij daarvan gevrijwaard was.

Ik had mijn hele leven wel in die kamer willen doorbrengen. Roodfluwelen wanden, lekkere dikke kussens, water dat over witte stenen sijpelde, de geur van olie-essences – het was allemaal zo rustgevend en gezellig, net de volwassen versie van een baarmoeder.

Emma was al een keer bij Madame Barbara geweest, maar we hadden afgesproken niks over onszelf of over de ander te vertellen, zodat we beter konden beoordelen hoe geloofwaardig haar reading was. We spraken af om na afloop koffie te drinken en de sessies te bespreken.

Madame Barbara zette haar bandrecorder aan en deed haar ogen dicht. Na een paar minuten stilte hapte ze naar adem en deed ze plotseling haar ogen open. Ik sprong geschrokken op van de bank. Als het op drama aankwam was deze dame een echte vakvrouw. 'Ik zie een reusachtige verandering in je, liefje,' zei ze. 'Hij is binnen in jou begonnen, maar hij heeft tot gevolg dat er ook dingen in de wereld om je heen veranderen. Het is de dood van het oude en de geboorte van het nieuwe.'

Ze kon hier natuurlijk wel van alles mee bedoelen, maar ik moest meteen aan mijn depressie denken. Dat ik mijn zwarte hond had weten af te richten had ik als een wedergeboorte ervaren. Gwyneth Lewis beschrijft in haar fantastische boek *Sunbathing in the Rain* haar depressie als sterven. Ik weet precies wat ze bedoelt. Toen ik midden in mijn depressie zat, had ik het gevoel dat ik mezelf kwijt was. Ik was mijn persoonlijkheid en mijn levendigheid kwijt, om nog maar te zwijgen over mijn humeur. Ik heb van alles geprobeerd om mezelf weer terug te vinden, want ik dacht dat ik, als ik mezelf eenmaal weer gevonden had, genezen zou zijn. Maar toen drong op een dag tot me door dat ik mezelf nooit terug zou vinden, omdat die persoon niet meer bestond: ze was dood. Al die maanden van pijnlijke zelfreflectie was ik eigenlijk bezig geweest een nieuw ik in het leven te roepen. Ik had een Kasey in het leven geroepen die sterker en gezonder was: iemand die ik leuk vond. Ik had het leven geschonken aan mijn nieuwe ik.

'Je hebt erg veel groene energie, liefje,' ging Madame Barbara verder. 'Je zorgt graag voor anderen, jij bent degene die anderen helpt, ze begeleidt. Als je voldoening in je ziel wilt voelen moet je werk doen waarbij je andere mensen helpt.'

Ze zei dat wat ik op dat moment deed niet was wat ik altijd zou blijven doen, maar dat we in dit leven niets kunnen zonder geld en dat ik me dus maar een tijdje op het geld moest concentreren. 'Dit eerst, en dan kunnen we verder met wat we echt willen doen,' zei ze.

Ze zei dat ik niet ontevreden moest zijn met wat ik nu deed.

Er zouden in mijn huidige werkterrein drie aanbiedingen komen waardoor ik op de ladder zou kunnen stijgen, maar 'de grootste moet nog komen'.

Ze gaf me de tarotkaarten en zei dat ik een vraag in gedachten moest nemen die ik haar graag wilde stellen, maar dat ik hem niet mocht uitspreken. Ik moest de vraag visualiseren en 'in het stapeltje duwen'. Mijn vraag luidde: 'Wat moet ik verder met mijn leven?' dus visualiseerde ik dat ik 's ochtends wakker werd en met een doel en een glimlach uit bed sprong. Ik had mezelf misschien ook wel een paar kilo lichter en met een mooiere huid gevisualiseerd.

Ik gaf haar de kaarten terug en ze ging er met haar vingers over alsof ze braille las. Ze keek me recht aan, haar nieuwsgierige oogjes werden doordringend, en ze zei: 'Je moet gaan schrijven.'

Ik keek verheugd naar haar op, alsof ze me net het antwoord had gegeven waarnaar ik de afgelopen paar maanden op zoek was geweest. Verdomme. Ik moest iets hebben laten merken. Soms ben ik vreselijk doorzichtig.

De scepticus in mij dacht dat zij het teken gelezen had en daarop door was gegaan. De gelovige in mij wilde zo graag raad dat ze haar het voordeel van de twijfel gunde toen ze zei: 'Je hebt talent voor schrijven, dat staat als een paal boven water. Dat is heel sterk in je aanwezig. Je moet mensen door middel van het geschreven woord gaan helpen.'

Ze draaide de eerste kaart om en schudde haar hoofd. De kaart stond voor een misleidende toestand. 'Deze kaart zegt iets over je faalangst,' zei ze. 'Je bent bang dat je niet goed genoeg bent. En als het mislukt? Als het niks wordt? Nou en? Dan klop je jezelf af en begin je opnieuw.'

Ze draaide nog een kaart om en zei dat er een mooi aanbod voor me in aantocht was. Het was afkomstig van een vrouw en ik zou moeten besluiten of ik in mijn huidige baan bleef of op het aanbod zou ingaan. 'Hierin valt geen logische keuze te maken,' zei ze. 'Je moet met je intuïtie kiezen; met je behoefte, niet met je logisch verstand.'

Het enige 'mooie aanbod' dat ik onlangs van een vrouw gekregen heb was afkomstig van mijn klant Susan, toen ze naakt in haar hotelkamer stond. En tot teleurstelling van mijn voyeuristische vrienden had ik een keuze gemaakt die op verstand was gebaseerd, en niet op mijn intuïtie. Volgende keer beter.

Madame Barbara raadde me aan op het aanbod in te gaan, omdat dat nu eenmaal mijn lot was. 'Probeer het niet uit de weg te gaan. Je hoeft er niet eens naar te zoeken. Aanvaard het aanbod gewoon wanneer het zich aandient.'

Ik legde mijn linkerhand op het pak kaarten en stelde mijn vraag nog een keer, zwijgend. Ze draaide weer een kaart om. Die stond voor de angst om verslagen te worden.

Madame Barbara raadde me aan om wat tijd uit te trekken of affirmaties te zeggen, met als doel mijn misleidende toestand kwijt te raken. Dit advies riekte me een beetje te veel naar de kristallen en werkboeken van de Heks van het Jaar, dus gaf ik haar het voordeel van de twijfel en ging ik er maar van uit dat ze tijdelijk een storing in de kosmos had opgevangen.

'Er valt nieuw geld voor je te verdienen, op een nieuwe manier, maar je moet eerst die faalangst zien kwijt te raken, liefje,' zei ze.

'Je bent een zorgelijk type, hè?' vroeg ze retorisch toen ze mijn handpalm bekeek. 'Dat is je angst voor teleurstellingen.' Ze gaf een klopje op mijn hand, net zo liefdevol als mijn oma vroeger altijd deed. 'Waarom ben je zo bang?' vroeg ze. 'Een intelligente meid als jij, een mooie meid die alles heeft, waar maak je je in hemelsnaam zorgen over? Dat is echt nergens voor nodig.'

Ze bekeek mijn handpalm weer en vroeg of er tweelingen bij

ons in de familie zaten. Ze zag dat ik twee zonen zou krijgen die heel close met elkaar waren. 'Je zou best een jongenstweeling kunnen krijgen,' zei ze.

Over Chris was Madame Barbara heel enthousiast. Ze zei dat ik ervoor moest zorgen dat ik hem niet verwaarloosde. 'Je bent heel intelligent,' zei ze. 'Maar je kunt niet alleen maar uit intellect bestaan en niet uit liefde, warmte en genegenheid. Dat heeft hij nodig, hoor.' Ze zei dat er veel van me gehouden werd en raadde me aan niet te lang te wachten met trouwen.

Daarna was de I-Tsjing aan de beurt. Volgens Madame Barbara was de I-Tsjing een manier om mij tegen mezelf te laten praten. Ze zei dat ik me vooral moest realiseren dat niet zíj tegen me praatte, maar dat de boodschappen van mijn hogere ik kwamen, het stuk dat met het Al verbonden is. Zij interpreteerde mijn boodschappen aan mezelf alleen maar.

Ik moest in allebei mijn handen een muntje houden, die ik laadde met de Yin en de Yang, en daarna gooide ik ze op tafel. Dit deed ik een paar keer en toen vertelde Madame Barbara wat ik mezelf probeerde te vertellen.

'Het zal niet gemakkelijk gaan,' zei ze. 'Je zult er hard voor moeten werken, maar als je hard werkt zul je je eigen Tao, je pad, werkelijkheid laten worden. Vertrouw op je ideeën. Twijfel niet.'

Volgens Madame Barbara droeg ik mezelf op om te stoppen met waar ik nu mee bezig was, omdat dit het moment was om avontuurlijk te zijn en met een doel voor ogen aan het leven deel te nemen. Ik moest al mijn twijfels en al mijn illusies uitbannen, alle obstakels in mijn geest uit de weg ruimen, zodat ik het licht van het inzicht door me heen kon laten schijnen, en ik daar anderen mee kon helpen. Nooit geweten dat ik zo poëtisch kon zijn.

Ik vertelde mezelf ook dat ik hard zou moeten werken zonder er veel voor betaald te krijgen, maar dat dat op de lange termijn de moeite waard zou zijn, omdat ik iets moois deed, niet alleen voor mezelf, maar ook voor de mensheid.

Ik zou dolgraag willen geloven dat ik mezelf vertelde dat ik een doel in het leven had, maar de grootheidswaanzin ervan zat me niet helemaal lekker. Het begon erop te lijken alsof ik op het punt stond om naar de Gazastrook te gaan om vredesonderhandelingen te voeren – en dat was heel wat edelmoediger dan wat ik van plan was te gaan doen, of dan waar ik toe in staat was.

Madame Barbara gaf ook nog haar eigen mening door te zeggen 'je zult het toch moeten doen, of je nu denkt dat je er sterk genoeg voor bent of niet. Het is je lot.'

Ik zei dat ik het allemaal geweldig vond klinken, maar dat ik niet wist over wat voor pad ze het nou aldoor had. 'Volg je geluk en je zult succes hebben,' zei ze. 'Het zal nooit uit je leven verdwijnen. Dat betekent niet dat je ontzettend rijk zult zijn, maar je zult altijd genoeg hebben om van te leven, en meer heeft een mens niet nodig.'

Toen het uur om was, informeerde ik bij Madame Barbara hoe haar leven was verlopen. Ze was al van jongs af aan helderziend. 'Die gave heb ik altijd gehad,' zei ze. 'Er is een tijd geweest waarin ik dacht dat ik voor de verandering graag zakenvrouw wilde zijn, dus toen heb ik mijn geld, heel onverstandig, in een broodjeszaak en een traiteurszaak geïnvesteerd. Binnen een jaar was ik tien jaar ouder, want 's ochtends werkte ik in alle vroegte in de broodjeszaak, waar ik broodjes ei met spek maakte. Dan ging de zaak dicht en werkte ik tot negen uur 's avonds bij de traiteur.'

Ze verdiende prima, maar realiseerde zich dat ze zo helemaal niet wilde leven, dus verkocht ze de winkels en ging ze weer readings doen – waarvoor ze in de wieg gelegd was. 'Ik was opgehouden met readings toen ik er te logisch over ging nadenken, en dat was een vergissing,' zei ze.

Toen ik bij Madame Barbara de deur uitging, riep ze me nog na: 'Ga schrijven. Je moet echt iets gaan schrijven waar andere mensen iets aan hebben. Het ontvouwt zich gaandeweg wel.'

30

Echte kindjes

Ik zweefde op een wolk het café binnen. Ik voelde me precies zoals je zou verwachten als je net een uur naar iemand geluisterd hebt die tegen je zegt dat je door de kosmos uitverkoren bent om een betekenisvolle bijdrage aan de mensheid te leveren.

Emma en ik kregen in het café gezelschap van Chris en van Emma's moeder, Jenny, die allemaal dolgraag onze mystieke ervaringen wilden ontleden.

Emma en ik kwamen erachter dat onze readings verrassend op elkaar leken. Madame Barbara had tegen ons allebei gezegd dat we een periode van transformatie doormaakten en dat we op het punt stonden met onze carrière een ander pad in te slaan. We deden op dit moment allebei niet wat we zouden moeten doen. We werden allebei belemmerd door angst en we zouden allebei een aanbod van een vrouw krijgen. Het grote verschil was dat ik voorbestemd was om mijn 'schrijftalent' te gebruiken om andere mensen te helpen en dat Emma was voorbestemd om een eigen bedrijf te beginnen.

Madame Barbara had tegen Emma gezegd dat ze een 'mooi sterk aura' had en dat mensen met een sterk aura leiders zijn. 'Ik zou je graag voor jezelf zien werken,' zei ze. 'Er is een grote kans voor je in aantocht. Ik zie dat je gaat doen wat je zelf wilt, en op je eigen manier.'

Ze zei dat Emma op dit moment veel vrijheid in haar werk genoot, maar dat dat niet hetzelfde was als 'het zelf doen, voor jezelf, en de opbrengsten ontvangen voor het werk dat je doet'.

'Je stelt jezelf de vraag: "Moet ik gewoon helemaal ophouden met wat ik nu doe of moet ik ermee blijven doorgaan?" Je moet ermee ophouden. Je wordt pas gelukkig als je doet wat je zelf wilt, en op je eigen manier,' zei Madame Barbara.

Chris was niet overtuigd en beweerde dat we Madame Barbara alleen maar hadden betaald om ons een goed gevoel over onszelf te geven. Hij zei dat haar opmerkingen zo moederlijk waren dat iedereen er wel iets mee kon. Daar zat wat in. De meeste opmerkingen waren uitermate algemeen en leenden zich voor verschillende interpretaties, en het was inderdaad troostrijk en bemoedigend om haar voorspellingen te aanhoren. Maar hoe zat het dan met haar voorspelling dat ik zou gaan schrijven? Dat kon je niet aan moederlijkheid toeschrijven. Chris zei dat dat alleen bij mij aankwam omdat ik het graag wilde horen. Daar ben ik het niet mee eens. Natuurlijk wilde ik het graag horen; ik wilde niet alleen heel graag het antwoord op mijn crisis, maar het is ook best leuk om te horen dat je ergens talent voor hebt. Maar ze had me wel ik weet niet welk talent kunnen toedichten. Als ze gezegd had dat ik talent voor muziek, sport of wiskunde had, had ik dat grote onzin gevonden. Hoe groot was de kans dat ze er net datgene uithaalde waar ik enthousiast over was?

Ik had me laten verleiden door het idee dat ik 'mensen kon helpen met behulp van het geschreven woord'. Mijn zoektocht naar betekenis was onbeschaamd egoïstisch geworden – bewust mijn vraagtekens zetten bij de verwachtingen van de maatschappij, die afwijzen en naar iets zoeken dat míj zou verrijken en míj voldoening zou schenken – dus de gedachte dat ik iets kon doen waar andere mensen ook iets aan hadden had een verrassend bedwelmende uitwerking op me. Het idee om te gaan schrijven sprak me enorm aan, maar dat werd alleen nog maar sterker als ik dat beschouwde als een streven dat groter was dan ikzelf.

Emma's moeder, Jenny, had tot dan toe geduldig geluisterd. Ze zette haar beker cappuccino neer en zei: 'Ik weet niet waarom jullie al die moeite doen om een antwoord te vinden als het zo klaar als een klontje is wat jullie moeten doen. Jullie moeten een kind krijgen. Daar horen jullie in deze fase in jullie leven mee bezig te zijn.'

Emma wierp me een snelle blik toe. Het was niet de eerste keer dat ze dit te horen kreeg. Dat was Jenny's favoriete tik in de plaat. Jenny spoorde Emma al jarenlang aan om toch vooral kinderen te krijgen. Ik had het altijd maar vreemd gevonden dat Jenny Emma tot zo'n getalenteerde, gedreven en wereldwijze carrièrevrouw had opgevoed om haar vervolgens de raad te geven zwanger te worden. Waar sloeg dat op? Maar dat was vóór mijn dertigerscrisis, toen ik het moederschap nog als een karakterfoutje beschouwde. Nu wil ik er wel over nadenken of Jenny misschien gelijk heeft. Ik ben zelfs bereid om erover na te denken of de voorspelling van Madame Barbara dat ik een tweeling krijg misschien net zo belangrijk is als dat ik ga schrijven. Maar dat ga ik Jenny niet aan haar neus hangen.

Omwille van Emma vertelde ik Jenny maar niet over het gesprek dat ik onlangs met een psycholoog had gehad over het feit dat ik er als dertiger helemaal klaar mee was. Ik wilde weten of hij bij zijn patiënten een bepaalde mate van dertigersontevredenheid had waargenomen en hoe hij die behandelde. Tot mijn ontzetting had hij hier dezelfde oplossing voor als Jenny: vrouwen moeten kinderen krijgen en als ze die niet hebben doet zich een leegte voor die niet goed door iets anders gevuld kan worden. Hij zei dat hij, als hij een vrouw in zijn spreekkamer kreeg van halverwege de dertig of ouder en zonder vaste relatie of kind, wist dat zij ernstige problemen kreeg die jaren konden duren. In sommige gevallen was een vaste relatie 'afdoende' om een vrouw voldoening te geven, maar dat wij in wezen dieren waren en dat het vrouwtje van de soort kinderen op de wereld hoorde te zetten. Ik vroeg hem hoe het dan zat met Annabel en Samantha, die mij allebei hadden verteld dat ze, als ze het opnieuw konden doen, geen kinderen zouden willen krijgen. De psycholoog antwoordde: 'Tuurlijk, dat zeggen ze, maar ik wil wedden dat ze ook zeggen dat ze hun kinderen nooit zouden willen missen.' Hij had gelijk; dat hadden ze allebei tegen me gezegd.

Hij zei dat ik Erik Erikson maar eens moest lezen, een psycholoog die het idee van de levensfasen heeft bedacht en die zegt wat we in elke fase moeten doen om gelukkig te zijn, voldoening te ervaren en goed te functioneren. De zevende levensfase wordt gekenmerkt door 'generativiteit versus stagnatie', en die maken we door als we dertiger zijn. Het komt er eigenlijk op neer dat we ons nodig moeten voelen en we gefrustreerd raken als we onszelf niet wijden aan zorgen voor en onze vaardigheden en kennis niet aan de volgende generatie doorgeven. Het interessante is dat het er in de fase ervoor, als we twintiger zijn, om gaat dat we onze identiteit door middel van onze carrière ontwikkelen. Het is leuk te weten dat ik die fase achter de rug heb. Met de volgende fase lijk ik alleen nog wat moeite te hebben.

Hoewel mijn mening over het moederschap de afgelopen paar maanden sterk is veranderd en ik kinderen leuk begin te vinden, en niet meer hinderlijk voor de maatschappij, was het advies van Jenny, de psycholoog en Erikson nou niet bepaald geruststellend. Ik ben bereid te accepteren dat kinderen een antwoord kunnen zijn op de crisis die je als dertiger doormaakt, maar ik wil er niet aan dat ze hét antwoord zijn. Ik vind het van eén verstikkende voorbestemdheid om te denken dat het er niet toe doet wie we zijn of wat we hieraan voorafgaand met ons leven doen, maar dat we ons uiteindelijk toch allemaal gewoon moeten voortplanten.

U mag me op dit punt hypocriet noemen, en dan hebt u nog gelijk ook. Waarom wil ik dit biologisch determinisme niet aanvaarden als ik wel de voorbestemming vanuit de kosmos, tot mij gekomen via Madame Barbara, voor zoete koek slik? Om te beginnen lijkt de bevalling van een geschreven stuk me vergeleken met die van een kind niet zo pijnlijk dat er een ruggenprik aan te pas moet komen, hoewel sommige van mijn getormenteerde kunstenaarsvrienden er anders over denken. Voor schrijven hoef je je ook niet twintig jaar lang te binden. Het besef van tijdelijkheid was net tot mij gekomen, waarbij ik me had gerealiseerd dat ik er, als ik er genoeg van kreeg, gewoon mee kon ophouden en iets nieuws kon proberen. Maar kinderen leken mij een vrij permanente aangelegenheid. En een artikel zou niet op een dag bij me op de deur kloppen en me vertellen hoe vreselijk ik alles verkloot had, terwijl je dat van een kind wel kon verwachten.

Ik vond het ook een nare gedachte dat alle vrouwen die geen kinderen krijgen voorbestemd waren om ongelukkig te zijn en geen voldoening te kennen. Zo wreed zou de evolutie toch niet zijn – of moet ik zeggen: de samenleving? We houden ons ons hele leven voor dat we eerst allemaal andere dingen moeten doen: een opleiding volgen, carrière maken, een huis kopen – maar tegen de tijd dat we dat allemaal gedaan hebben is onze biologische klok gaan tikken. Hoe ouder ik word, hoe meer ik zie dat vrouwen om me heen er helemaal kapot van zijn als ze geen kinderen kunnen krijgen. En in veel gevallen luidt de harde realiteit dat ze er gewoon te lang mee hebben gewacht. Ik ben de tel kwijt hoeveel vrouwen in mijn omgeving ivf ondergaan, of het zonder succes hebben geprobeerd. Als ik eraan denk hoe ingrijpend die behandeling is, zowel lichamelijk als geestelijk, en hoe weinig kans op slagen er is, vraag ik me af of Erikson soms gelijk heeft. Je stelt jezelf toch alleen aan de emotionele achtbaan en de hoge kosten van een ivf-behandeling bloot als je echt verschrikkelijk graag een kindje wilt?

Misschien houd ik mezelf voor de gek, maar ik wil graag denken dat het symbolische kindje van mijn vriend Godfrey een afdoende vervanging voor een echte is. Een symbolisch kindje kan vast voldoen aan de behoeften waar Erikson het over heeft, zoals jezelf helemaal aan iets wijden en ervoor zorgen, en een soort nalatenschap doorgeven.

Ik besloot me er eens wat serieuzer in te verdiepen hoe ik mezelf aan mijn 'schrijfkindje' kon wijden. Dat was iets waar ik ook andere mensen mee kon helpen.

31

Schrijfverlof

Maar waar moet ik dan over schrijven?

Dat leek me indertijd niet de allerbelangrijkste vraag. Waar het over moest gaan was bij lange na niet zo belangrijk als het schrijven zelf. En het schrijven zelf was bij lange na niet zo belangrijk als eindelijk een reden hebben om niet meer elke dag naar mijn werk te hoeven.

Sinds ik van mijn excessieve materialistische levensstijl was afgekickt, was ik erin geslaagd mijn financiële situatie weer in de zwarte cijfers te krijgen. De schuld op mijn creditcard was een vage herinnering geworden en ik spaarde zelfs elke maand een bedragje. Nadat ik wat met mijn budget had gestoeid, rekende ik uit dat ik, als ik heel gedisciplineerd leefde, kon rondkomen van een parttimebaan. Als ik bereid was om offers te brengen voor mijn levensstijl, zoals minder vaak uitgaan, geen kleren meer kopen en niet met vakantie gaan, kon ik me permitteren om mijn schrijfkindje te verwekken en te voeden.

Ik realiseerde me wel dat ik de mazzel had dat ik in een financiële positie verkeerde die mij in staat stelde met een parttime inkomen rond te komen, maar toch was het geen gemakkelijke beslissing. Mijn budget had geen reserves meer, en ik vond het een doodenge gedachte dat ik van 'net genoeg' moest leven. Ik vond het geen punt om de luxe uit mijn leven te schrappen, maar de gedachte dat ik geen financieel vangnet meer had bezorgde me slapeloze nachten. Ik wist zeker dat Chris wel voor me zou zorgen, mocht ik in financiële problemen komen, maar hij moest in zijn eigen onderhoud voorzien, en freelancen was voor één persoon al riskant genoeg, laat staan voor twee. Aangezien mijn familie uit elkaar is gevallen hoefde ik uit die hoek ook geen steun te verwachten. Als het leven me een effectbal toewierp en ik meer geld nodig had, zat er niks anders op dan mijn hypotheek er maar aan op te offeren. In mijn polis voor arbeidsongeschiktheid stond dat ik, als ik niet in staat was om te werken, vijfenzeventig procent van mijn inkomen zou krijgen. Ik kon wel van vijfenzeventig procent van mijn inkomen leven, maar het was uitgesloten dat ik van vijfenzeventig procent van een parttime inkomen mijn hypotheek kon betalen én kon leven. Dit klinkt dramatisch, maar als ik besloot om parttime te gaan werken moest ik wel bereid zijn mijn huis te verliezen.

Na heel wat wijzigingen op mijn lijstje met voors en tegens realiseerde ik me dat ik bereid was dat risico te nemen. Van alle redenen die ik in de kolom met voors had geschreven, was de meest overtuigende reden gewoonweg dat ik het kon doen. De meeste mensen hebben niet de luxe dat ze parttime kunnen gaan werken en daarnaast een symbolisch kindje kunnen baren. Ik wel. Dus deed ik het ook.

Ik besloot een boek te schrijven over identiteitsmanagement. De afgelopen paar jaar had ik veel tijd besteed aan consultancy voor bedrijven die een strategie voor identiteitsmanagement wilden ontwikkelen. Dit varieerde van de beste manier bedenken om het personeel op de computer te laten inloggen tot de bestrijding van bankfraude op internet, tot de verstrekking van identiteitspasjes. De meeste mensen vinden dit onderwerp vast dodelijk saai, maar het sprak mijn duistere kant wel aan. Je moet aan alle mogelijke manieren denken waarop mensen in het verwerkingssysteem kunnen inbreken of het kunnen saboteren, om vervolgens iets te ontwikkelen dat genoeg veiligheid biedt. Niet de technologie bood de gelegenheid om te frauderen, maar de mensen die er gebruik van maakten. Identiteitsmanagement was ook in de wereld van consultancy een hot onderwerp, dus dat betekende dat je om op dat gebied als deskundige beschouwd te worden hooguit iets meer moest weten dan helemaal niets. Betere kwalificaties kon ik me toch niet wensen om er een boek over te schrijven? Verder was het ook iets waar mijn bedrijf waarschijnlijk wel zo enthousiast over zou zijn dat ze me vrijaf zouden geven om er een boek over te schrijven. Althans, dat dacht ik.

Ik las na wat mijn bedrijf voor beleid voerde op het gebied van parttime werken. Het leek me niet moeilijk. Ik hoefde alleen een formulier in te vullen en dat ter goedkeuring naar de afdeling HR te sturen. HR zou vervolgens met mijn manager praten en binnen een week met een reactie komen. Ik downloadde het aanvraagformulier, en daarmee begon de ellende. Ik moest aangeven welke vorm van parttime werken ik koos. De opties waren 'ouderschapsverlof', 'zorgverlof' of 'studieverlof'. Meer niet. Op het formulier stond geen hokje voor schrijversverlof. Er was niet eens een hokje voor 'anders'.

Ik belde Garry, mijn baas, en vertelde hem onomwonden dat ik parttime wilde gaan werken. 'Ben je zwanger?' vroeg hij. 'Nee,' zei ik. Hij zei: 'Ik begrijp het niet.'

Garry was een charismatische macho en bewandelde voortdurend de dunne lijn tussen geiten en ongewenste intimiteiten. Hij had de diepgang van een regenplas, maar het kwam een doodenkele keer voor, als hij niet naar mijn borsten staarde, dat ik hem eigenlijk wel mocht.

Ik legde uit dat ik tijd wilde hebben om een boek te schrijven. Garry lachte neerbuigend en zei dat ik niet zomaar parttime kon gaan werken louter en alleen omdat ik daar zin in had. Hij zei dat hij geen precedent binnen het bedrijf willen scheppen. Als hij mij parttime liet werken, wilde straks misschien iedereen dat wel.

Ik was woest. Als ik een kind kreeg had ik helemaal niet om toestemming hoeven vragen. Dan had ik een formulier ingevuld en daarmee basta. Ik vroeg Garry wat voor verschil het maakte of ik tijd vrij wilde om voor een baby te zorgen of om een boek te schrijven. Dat kwam voor hem en het bedrijf uiteindelijk toch op precies hetzelfde neer? Hij zei dat het een kwestie van betrokkenheid was.

Hij had groot gelijk dat hij aan mijn betrokkenheid twijfelde, maar daar ging het niet om; die conclusie mocht hij niet zomaar trekken louter en alleen omdat ik parttime wilde werken. Ik vond het heel vreemd dat je uit het feit dat ik nog andere interesses in het leven had meteen concludeerde dat ik dus minder betrokken was bij mijn werk. Je kunt je toch ook bij het een en het ander even sterk betrokken voelen?

Maar het ging niet over betrokkenheid, het ging over de wet. Als ik zwanger was of een kind had, was mijn baas wettelijk verplicht me zwangerschapsverlof te geven en me aan te bieden dat ik, als ik terugkwam, parttime kon gaan werken. Voor de bescherming van de rechten van mensen met een symbolisch kindje bestonden geen wetten.

Afgelopen jaar heeft mijn vriendin Jules een verlof van drie maanden aangevraagd omdat ze op reis wilde. Ze diende het verzoek negen maanden van tevoren in. Het bedrijf waarvoor ze werkte zei meteen nee. Toen ze de zaak nog eens grondig natrok, kreeg ze te horen dat ze een opstel moest schrijven waarin ze uitlegde wat ze tijdens haar vrije tijd ging doen en in welk opzicht het bedrijf daar voordeel van zou hebben. Het kwam er in wezen op neer dat men haar vroeg verantwoording af te leggen van hoe ze haar privétijd zou besteden – tijd waarin ze niet werkte en niet betaald werd. Ik realiseerde me dat het hele concept van evenwicht tussen werk en privé een farce was, alle praatjes van het management en de afdeling HR ten spijt. Bedrijven willen helemaal niet dat wij evenwichtige en complete individuen zijn. En waarom zouden ze ook? Ze willen dat we ons hele leven aan ons werk wijden en dat we onze hele identiteit in verband brengen met onze baan. Pas dan kunnen ze zestig uur per week uit ons persen tegen de prijs van veertig uur per week. De keerzijde hiervan is dat het werkende moeders heel slecht zou vergaan als ze niet door de wet werden beschermd. Afgaande op het gesprek dat ik met mijn baas had, weet ik vrijwel zeker dat hij werkende moeders niet eens parttime zou laten werken als hij daartoe door de wet niet gedwongen werd. Het is heel tragisch om te bedenken hoe weinig vooruitgang wij als maatschappij hebben geboekt.

Ik was niet van plan met de weigering van Garry genoegen te nemen, dus ik gooide snel een ander argument in de strijd. Ik legde uit dat het boek dat ik wilde schrijven over identiteitsmanagement ging en dat ik daarmee niet alleen mijn persoonlijke reputatie als consultant op dat gebied versterkte, maar dat het ook prima publiciteit voor het bedrijf zou zijn.

Dat sloeg aan. Ik had zijn belangstelling weten te wekken. Hij steunde het idee en complimenteerde me zelfs met mijn initiatief. Maar in plaats van mij parttime te laten werken zei Garry dat hij mijn consultancytaken naar drie dagen per week zou terugbrengen, zodat ik twee dagen per week de tijd had om aan het boek te schrijven. Op die manier schiep hij geen precedent om mensen parttime te laten werken.

Heel even dacht ik dat ik spekkoper was. Ik kreeg toestemming om een boek te schrijven en kreeg er nog voor betaald ook. Ik hoefde dus toch niet van een parttimesalaris te leven. Maar er zat een addertje onder het gras.

In ruil voor de kans die het bedrijf mij bood om het boek te schrijven, wilde het redactionele zeggenschap over de inhoud, zou het boek ook de naam en het logo van het bedrijf dragen en zou het bedrijf de royalty's krijgen.

Ik besefte dat het spek er wel lekker uitzag, maar bedorven was.

Ik was niet bereid de redactionele zeggenschap over het boek uit handen te geven. Ik zag al helemaal voor me dat het boek een promotionele brochure voor het bedrijf werd. Het zou mijn kindje niet zijn; het zou gewoon de zoveelste consultancyopdracht worden. Ik realiseerde me dat het om meer ging dan alleen maar om de kans om te schrijven; ik wilde ook autonoom zijn. Ik wilde de vrijheid in mijn leven om te doen wat ik belangrijk vond. En twee dagen vrijheid en autonomie waren belangrijker voor me dan twee dagen salaris.

Ik bedankte Garry voor zijn genereuze aanbod, maar zei dat ik, als het hem om het even was, liever niet betaald werd om het boek te schrijven, dat ik er niet de naam van het bedrijf op wilde hebben en dat ik niet de royalty's wilde afstaan. En dat bleek hem niet om het even te zijn.

Garry's tegenargument begon vriendelijk. Hij zei dat hij me graag wilde helpen om de Thought Leadership Award voor het bedrijf te winnen, maar dat ik me dan wel aan zijn voorwaarden moest houden. Ik moest er bijna om lachen. Zaten we soms weer op school? Alsof ik mijn intellectuele eigendom zou inruilen voor het volwassen equivalent van een stempel van een leuk olifantje. Toen ik bleef weigeren om mee te werken, verdween zijn vriendelijke houding als sneeuw voor de zon en zei hij dat ik mijn contract nog maar eens moest lezen: alles wat ik schreef was sowieso eigendom van het bedrijf, ook al schreef ik het in mijn eigen tijd.

De intimidatietactiek maakte me nog vastbeslotener om niet te zwichten. En aangezien Garry nog steeds met me onderhandelde, en dus niet het gesprek afkapte en zei dat ik weer aan het werk moest gaan, realiseerde ik me dat dat boek hem wel een goed idee leek. Als hij het zo belangrijk vond, dacht hij vast dat het waardevol was. En als het waardevol was, ging ik het beslist niet met hem delen.

Het laatste aanbod van mijn manager luidde dat ik een halfjaar lang elke week een dag onbetaald vrij kon nemen om het boek te schrijven. Ik zou volledige zeggenschap over de inhoud houden, maar het zou uitgegeven worden in de bedrijfskleuren en met het logo, en het bedrijf zou als het af was het intellectueel eigendom bezitten (en daarmee ook de royalty's krijgen). Dat was net zoiets als zwangerschapsverlof geven, zolang het bedrijf na afloop de baby maar kreeg en het bedrijfslogo op de billetjes mocht tatoeëren.

Ik vond het verschrikkelijk dat een bedrijf iets te zeggen had over wat ik in mijn eigen tijd deed, maar ik stemde met de voorwaarden in omdat ik echt heel graag een dag in de week vrij wilde hebben.

Chris en mijn vrienden stonden vierkant achter mijn besluit om tijd vrij te maken om te schrijven. Jules zei: 'Nou, het werd tijd. Je kunt heel goed schrijven. Ongelooflijk dat je er zo lang over gedaan hebt om die keuze te maken.' Ik hou zielsveel van mijn vrienden.

Het enige probleem was dat ik niet schreef – nog geen woord. Elke vrijdag werd ik wakker en was ik dolblij dat ik niet naar mijn werk hoefde. Dan ging ik in een café ontbijten, met Toffee naar het strand, las ik een boek (overal over, maar niet over identiteitsmanagement) en dan ging ik weer naar een café.

Na een paar weken zei Chris iets van de manier waarop ik mijn vrijdagen doorbracht. Ik realiseerde me dat ik niet schreef omdat ik niet wilde dat het eigendom van dat klotebedrijf werd. Maar dat was niet het enige. Welk verstandig mens kiest er nou voor, afgezien van wiens eigendom het is, om een hele dag per week over identiteitsmanagement te schrijven zonder daar een cent voor betaald te krijgen? Wat haalde ik me in mijn hoofd? Schrijven over identiteitsmanagement was niet leuk of creatief. Louter omdat ik iets over dat onderwerp wist betekende het nog niet dat ik daar ook mijn tijd aan moest besteden. Ik dacht weer aan Madame Barbara, die had gezegd dat ik mensen moest helpen met wat ik schreef. Met zo'n onderwerp zou ik echt het leven van mensen niet veranderen. Als dit mijn symbolische kindje was, zou het door verwaarlozing sterven.

Chris vond dat ik twee problemen moest oplossen: ik moest het intellectueel eigendom regelen en ik moest over iets interessants gaan schrijven.

32

Helemaal alleen

'Ik ben erachter, hoor,' kondigde Emma aan. 'Ik ben erachter wat ik verder met mijn leven moet.'

Chris en ik zaten met Emma in ons favoriete café te brunchen. Ik was verbaasd toen ik haar het café binnen zag lopen, of binnen zag stuiteren, liever gezegd. Ik had haar nog nooit zo opgewonden gezien, op die keer na dat ze in haar stamcafé tot karaokekampioen was gekroond voor haar vertolking van *Stairway to Heaven*. Emma mag er dan altijd tot in de puntjes verzorgd uitzien, ze is vanbinnen net zo gewoon als iedereen.

'Ik ga voor mezelf beginnen,' zei ze.

'Hèhè,' zei Chris. 'Dat zeg ik al maanden.'

Nadat Emma bij de helderziende Madame Barbara was geweest had ze lang en diep nagedacht over wat ze kon doen om voor zichzelf te beginnen. Emma's onafhankelijkheid is een zegening én een vloek voor haar; haar onafhankelijkheid stimuleert haar om voor zichzelf te beginnen, maar maakt het ook een stuk riskanter. Door haar onafhankelijkheid heeft ze niemand die haar kan steunen of op wie ze kan terugvallen als het niet lukt. Als ze niet zo onafhankelijk was, was ze waarschijnlijk getrouwd en had ze meer financiële zekerheid, waardoor het gemakkelijker is om de veiligheid van een werkgever te verlaten en het in je eentje te gaan doen.

De voorspelling van Madame Barbara had Emma ertoe aangezet om net zo lang over haar keuzemogelijkheden na te denken tot ze een manier bedacht had om het tot een succes te maken.

Chris geloofde zijn oren niet. 'Wil je nou beweren dat je daar een helderziende voor nodig had? Alsof een vreemde vrouw met een kristallen bol je beter kent dan je eigen vrienden.'

De helderziende had Emma zelfvertrouwen gegeven. Ze was er al achter dat ze voor zichzelf wilde beginnen, maar door de voorspelling van Madame Barbara voelde ze zich hierin gesterkt en durfde ze te geloven dat ze het ook echt kon.

Emma had al jaren geleden besloten dat ze op een dag een eigen bedrijf zou hebben. Ze was geïnspireerd door de baas die ze bij haar allereerste baan had – dat seksistische zwijn dat had gezegd dat hij haar alleen maar had aangenomen omdat hij geen man kon vinden. 'Die man was volkomen gestoord, maar had desondanks een succesvol bedrijf,' zei ze. 'Toen dacht ik: als hij een bedrijf tot een succes kan maken, kan ik het zeker.'

Ze had ook gezien dat haar vader veel gelukkiger was geworden toen hij van werknemer kleine zelfstandige was geworden. Ze had zowel de levensstijl als de financiële beloning meegemaakt die hem ten deel viel door het risico te nemen. Haar vader zei altijd dat hij wilde dat hij het tien jaar eerder had gedaan.

Het afgelopen jaar heeft Emma nagedacht over allerlei verschillende manieren om haar betrokkenheid terug te krijgen, maar dat heeft niets opgeleverd. Ze heeft overwogen om een minder stressvolle baan te zoeken of om iets socialers te gaan doen, maar dat leek haar toch ook niet de oplossing. Ze was tot de conclusie gekomen dat ze het marketingvak, ondanks haar ontevredenheid, eigenlijk wel leuk vond, dus een volledige carrièreswitch was niet de oplossing. Een soortgelijke baan bij een ander bedrijf ook niet. Emma was al van baan veranderd toen ze van het farmaceutische bedrijf naar de voedselproducent was overgestapt, en dat had niks opgeleverd. Uiteindelijk kwam ze toch telkens uit op autonomie. 'Als je de wetenschap dat mensen zoals wij uitermate vakkundig zijn combineert met mijn verlangen naar autonomie, is het alleen maar logisch dat ik voor mezelf ga beginnen.'

En hoe ging ze dat aanpakken? Hoe ging ze haar eigen bedrijf beginnen en tegelijk de risico's zo klein mogelijk houden, zodat ze 's nachts nog wel kon slapen?

Emma besloot een aanbod voor een managementbuy-out te doen van de afdeling die ze bij de voedselproducent runde. Dit onderdeel paste niet bij de rest van het bedrijf, en om dit probleem in andere landen op te lossen hadden ze het gewoon verkocht. Emma wist zeker dat ze de mensen in de top ervan kon overtuigen dat ze met haar onderdeel hetzelfde moesten doen.

'Het voldoet aan alle eisen,' zei Emma. 'Ik ga iets voor mezelf doen, maar het spreekt ook mijn conservatieve kant aan, want het is in wezen hetzelfde wat ik nu doe, dus het is een stuk minder riskant.'

'Dus als ik het goed begrijp,' zei ik, 'ga jij hetzelfde bedrijf waarvan je nu de manager bent, kopen om hetzelfde te doen wat je al die maanden hebt gedaan dat je je zo ellendig hebt gevoeld, en daar ga je nog het financiële risico voor dragen ook?'

'Ja. Maar dan is het wel van mij,' zei Emma. 'Ik hoef geen onzin meer te verdragen van het management. En ik bepaal zelf in hoeverre ik me ermee vereenzelvig. Als ik mijn leven door mijn werk laat bepalen, is dat wel míjn keuze en zijn het wel míjn verwachtingen.'

Ik begreep niet zo goed wat daar aantrekkelijk aan was, maar dat deed er niet toe. Het deed er ook niet toe dat Emma's besluit was beïnvloed door een oude vrouw met een kristallen bol, of door wie dan ook. De transformatie in Emma was onmiskenbaar en bijna ongelooflijk. Ze had weer energie, ze was enthousiast en ze vond haar werk weer belangrijk. Ze was niet meer moe of chagrijnig. Terwijl ze wachtte tot de leiding een besluit nam over de verkoop, begon ze het bedrijf al te behandelen alsof het van haar was. Haar gezwerf was verleden tijd en ze spijbelde niet meer door naar het café of het park te gaan. Na een lange werkdag bleef Emma nog uren op kantoor, waar ze aan het businessplan en een financiële analyse voor haar nieuwe bedrijf werkte. In gedachten verdiende ze al miljoenen en ze had besloten om van tien tot zeven te gaan werken, aangezien ze geen ochtendmens is.

Emma had haar kindje gevonden.

33

Brave New World

'Op een *brave new world*,' toostte Garry, mijn baas, en hij hief zijn glas Franse champagne naar me op. Hij had het boek blijkbaar niet gelezen, want als hij dat wel had gedaan, had hij begrepen dat het over een antiutopie ging. Hij had me toch al nooit zo'n lezer geleken.

Alle werknemers van mijn bedrijf waren voor een dringende vergadering in de bestuurskamer opgetrommeld, waar we een paar bazen van het hoofdkantoor via een speakertelefoon een verklaring hoorden afleggen. Het glas dure bubbels – het soort dat ik alleen maar drink als iemand trakteert – werd ons in de handen geduwd en we moesten allemaal toosten. Het enige probleem was dat het niet echt als een feestelijke gebeurtenis voelde. Als de champagne niet zo duur was geweest had ik hem van walging weer neergezet.

De blikkerige stem uit de speaker had net aangekondigd dat onze tak van het bedrijf aan een ander bedrijf was verkocht – een bedrijf dat niet over zo'n prestigieuze naam, grote klanten, grote budgetten en multinationaal bereik beschikte als onze huidige organisatie. Ondanks de mooie draai die ze eraan gaven en ondanks de flitsende PowerPoint-presentatie wist iedereen in die kamer dat we genaaid werden. We waren verkocht aan een tweederangs bedrijf en alles zou veranderen. De gelukkigen onder ons zouden gedwongen worden een nieuw contract te tekenen en de ongelukkigen werden werkloos.

Ik keek naar de verbijsterde gezichten van mijn collega's aan de andere kant van de vergadertafel, allemaal ongemakkelijk met een glas champagne in hun hand. Sommige van deze mensen werkten al hun hele leven bij dit bedrijf. Het was heel surrealistisch dat we echt afgestoten werden, ontheven van wat voor verplichting ook, en dat via een telefonische vergadering die hooguit tien minuten duurde.

Margaret, het hoofd van de administratie, die al dertig jaar bij het bedrijf werkte, was zichtbaar ontdaan, maar dat leek de baas van het acquirerende bedrijf te ontgaan. Hij vertelde dat dit voor alle betrokkenen een enorme kans was en dat ze zich echt om hun werknemers bekommerden. Margarets enige taak was dat ze de data in het softwaresysteem moest invoeren. Ze was een kei in dit systeem, maar bij het nieuwe bedrijf zouden ze haar kwaliteiten niet nodig hebben, en op haar leeftijd was het niet waarschijnlijk dat iemand nog geld in haar omscholing wilde steken. Ze lag eruit, en iedereen in de kamer wist het, ook al probeerden ze te doen alsof dat niet zo was.

Garry, die de deal duidelijk in elkaar geflanst had, kon zijn opwinding nauwelijks bedwingen en vertelde over de kans om aandelen in de nieuwe onderneming te kopen en daar rijk mee te worden. 'Ik heb het niet over miljoenen,' zei hij kwijlend, 'maar over multi-, multi-, multimiljoenen dollars.' Later bleek dat alleen directeuren de mogelijkheid hadden om aandelen te kopen, en dat betekende dat maar twee of drie van de aanwezigen kans op die multi-, multi-, multimiljoenen dollars maakten.

Het tafereel dat zich in de bestuurskamer aan mij ontvouwde, deed me denken aan een interview dat ik een keer op de televisie gezien heb met de Sloveense filosoof Slavoj Zizek, over het verschil tussen traditionele autoritaire macht en postmodern totalitarisme. Zizek vertelde een verhaal over een kind aan wie gevraagd wordt om bij zijn oma op bezoek te gaan. Een ouderwetse autoritaire vader zou dan zeggen: 'Het kan me niet schelen of je zin hebt of niet, je gaat er gewoon naartoe en je gedraagt je.' Een postmoderne toegeeflijke totalitaire vader zegt tegen het kind dat hij er alleen maar naartoe hoeft als hij dat zelf wil, maar zegt dan ook: 'Maar je weet hoe leuk oma het vindt om je te zien.' Onder de schijn van deze vrije keuze gaat een veel dwingender bevel schuil. Het kind moet niet alleen op bezoek bij zijn oma, hij moet het nog leuk vinden ook. De vrijheid om te mokken is hem ontnomen. Net als het kind in het verhaal van Zizek werden wij er niet alleen door ons bedrijf uitgeknikkerd, maar werd ons ook nog opgedragen dat te vieren.

Ik was niet van plan om aan deze farce mee te doen en stak mijn walging niet onder stoelen of banken. Ik trok de aandacht van het hoofd HR, die op een drafje naar de andere kant van de tafel kwam om met me te praten. Hij overlaadde me met complimenten en lovende woorden. Ik scheen enorm ambitieus, zeer toegewijd en uitermate intelligent te zijn – precies het soort werknemer dat ze voor hun 'brave new world' nodig hadden. Ambitieus en toegewijd? Ik? Dat toont maar weer eens aan hoeveel voeling Human Resources met zijn human resources heeft.

Ik was laaiend over de neerbuigende opmerkingen van het hoofd HR, maar ik wist dat ik een van de gelukkigen in de kamer was. Ze hadden mensen en intellectueel eigendom verkocht, en mijn opleiding en kwaliteiten waren op dat moment op de markt zeer in trek. Ze moesten zeker weten dat mensen zoals ik niet zouden weggaan. Stel dat er over een halfjaar op de markt sprake is van een andere vraag, dan denk ik dat ze me opeens een stuk minder toegewijd of intelligent zullen vinden.

Een paar weken daarvoor waren nog drie oudere werknemers met onmiddellijke ingang ontslagen, naar verluidt zonder ook maar een cent compensatie te ontvangen. In het geval van één waardevolle werknemer was de bijl zo snel gevallen dat de klant de volgende dag naar kantoor belde om te vragen waar hij was. Tijdens het telefoongesprek waarin hun vertrek werd aangekondigd, verzekerde het management ons ervan dat dit niet persoonlijk opgevat moest worden en niet betekende dat het geen goede mensen waren. Ze hadden blijkbaar gewoon hun targets niet gehaald.

Ondanks de relatief zekere positie waarin ik verkeerde en het feit dat mijn betrokkenheid toch al ver te zoeken was, was ik behoorlijk van slag door deze mededeling. Toen ik bij dit bedrijf was komen werken, had ik niet voor deze nieuwe organisatie getekend. Ze hadden halverwege het spel de regels veranderd en ik voelde me beledigd en verraden, hoe kinderachtig dat ook mag klinken.

Dus deed ik wat elk zichzelf respecterend meisje zou doen. Ik sloeg een fles champagne achterover en ging op bezoek bij mijn beste vriendin.

Emma had ook slecht nieuws. Haar bedrijf had haar aanbod om haar afdeling uit te kopen geweigerd. 'Het zou zo gemakkelijk en mooi geweest zijn,' zei ze.

'Wat ga je nu doen?' vroeg ik.

'God mag het weten.'

34

Omgekeerde discriminatie

Ik had de mazzel dat ik de volgende dag al gebeld werd door Annabel, de headhunter, die zei dat ABC Company me als senior consultant verandermanagement wilde hebben. Het is een heerlijk gevoel om een baan aangeboden te krijgen. Ik voelde me bevestigd en gewenst. Maar ik verheugde me er vooral enorm op dat ik Garry kon zeggen dat hij die brave new world van hem in zijn reet kon steken. En een nieuwe baan zou me ook even verlossen van de monotonie en verveling van de dagelijkse tredmolen. Elke nieuwe baan is, vanwege de leercurve, de eerste paar maanden interessant. Maar ik had er wel een goed gevoel over. De visie en de gedrevenheid van de manager stonden me wel aan. Misschien wist deze baan mijn belangstelling vast te houden.

Maar toen herinnerde ik me dat ik, hoe leuk de baan ook was, alleen parttime wilde werken. Ik had mezelf voorgenomen te gaan schrijven en daar wilde ik me echt aan houden. Ik zei tegen Annabel dat ik het geweldig nieuws vond en dolgraag bij dat bedrijf wilde werken, maar dat mijn situatie veranderd was en dat ik nu nog maar drie dagen per week kon werken. 'Ik wist niet dat je kinderen had,' zei Annabel.

Ik legde mijn situatie uit en zij de hare. Ze zei dat ABC Company nooit eerder iemand parttime had aangenomen, dus dat ze niet de moeite zou nemen hun te vragen of ze het in mijn geval toch wilden doen. Ze gaf me een ultimatum: ik moest de baan fulltime gaan doen of ze zou hun zeggen dat ik mijn sollicitatie introk. Ik zei dat ik alleen bereid was om parttime te werken en dat het verder aan haar was wat ze met die informatie deed.

Ik was echt kwaad toen ik ophing, op het strijdlustige af. Als ik goed genoeg was om vijf dagen per week voor ze te komen werken, waarom zou ik dan niet goed genoeg zijn voor drie dagen? De kwaliteiten die aanleiding zijn geweest voor mijn besluit, zoals initiatief, moed en creativiteit, hoorde je juist te eren en te waarderen. Maar Annabel was niet eens bereid om ABC Company te vrágen of ze me misschien parttime wilden hebben. Ik had het gevoel dat ze mij en alle andere vrouwen met mij verried door die patriarchale en beperkende opvatting van werk voort te laten bestaan. Waarom zouden we ons altijd aan de mannelijke structuur en conventies van werk aanpassen als zo veel vrouwen er blijkbaar doodongelukkig van worden? Moeten we dan voor altijd ongelukkige deelnemers aan een mannenwereld zijn?

Ik was niet bereid me zonder slag of stoot gewonnen te geven. ABC Company moest op zijn minst de waarheid over mijn situatie te horen krijgen en niet alleen maar verteld worden dat ik mijn sollicitatie had ingetrokken. Ik stuurde een e-mail naar de consultant met wie ik het tweede gesprek bij ABC Company had gehad en legde de situatie uit. Ik hoorde niks meer van hem, maar ik vond het prettig dat hij nu in elk geval wist hoe de vork in de steel zat.

Ik ging serieus op banenjacht. Ik had de mazzel dat het goed ging met de economie en dat de markt zat te springen om mensen met mijn kwaliteiten. Met als gevolg dat ik voor elke baan waarop ik solliciteerde uitgenodigd werd voor een gesprek. En zodra mijn CV circuleerde, stroomden de headhunters toe. Het was heerlijk om me zo gewild te voelen. Voor het eerst in mijn werkzame leven had ik het gevoel dat ik in de relatie werknemer/werkgever de macht had – althans, tot ik het p-woord liet vallen.

Het gesprek met de headhunters verliep altijd hetzelfde. Ze begonnen met me te prijzen en zeiden dat ik zo ongeveer kon vragen wat ik wilde. Dan vertelde ik dat ik drie dagen per week wilde werken. Zij keken dan teleurgesteld, vroegen of ik kinderen had en zeiden dat het dan moeilijker was om op deze groeiende markt een baan te vinden, maar dat het niet uitgesloten was. Zodra ik zei dat ik geen kinderen had, maar dat ik gewoon parttime wilde werken omdat ik nog andere dingen ernaast wilde doen, loodsten ze me snel hun kantoor uit alsof ze hun tijd aan me verdeden. Ik overwoog om maar te jokken en gewoon te zeggen dat ik kinderen had, maar dat kreeg ik toch niet over mijn hart. Ik had het gevoel dat ik de werkende moeders te schande zou maken en alle andere vrouwen van in de dertig die er schoon genoeg van hadden en die ook parttime wilde werken, louter en alleen omdat dat kon, een streek zou leveren. Op een vreemde manier voelde ik me een wegbereider – een hedendaagse suffragette.

Ik belde Emma om tegen haar te kankeren en te klagen over de onrechtvaardigheid waar kinderloze vrouwen mee te maken kregen. Ze stelde voor om onze teleurstelling maar met cocktails en een strandvakantie te lijf te gaan. Dat hadden de suffragettes vast toegejuicht!

35

Het einde van de wereld zoals wij die kennen

Emma en ik zaten op een boot op weg naar een koraalrif toen de brave new world instortte.

Toen een collega belde om te zeggen dat de verkoop van onze tak van het bedrijf was gestrand, stond mijn hoofd absoluut niet naar werk. Er was net weer een dringende telefonische vergadering voor het voltallige personeel geweest, maar dit keer zonder Franse champagne. Tijdens het bedrijfsonderzoek was het verkeerd gegaan en de firma die ons zou kopen had zijn aanbod ingetrokken.

Wat dit voor de toekomst van het bedrijf en voor mijn baan betekende viel in dit stadium niet te zeggen. Alles zou later die avond tijdens nog zo'n telefonische vergadering aan het voltallige personeel bekend gemaakt worden.

Terwijl ik me niet te veel het hoofd probeerde te breken over mijn potentiële ontslag en de afbetalingen van mijn hypotheek, brachten Emma en ik de dag door in een gehuurde verschoten blauwe wetsuit die ons van top tot teen omhulde ter bescherming tegen de zon en de steekbeesten, terwijl we over het koraal heen snorkelden. Ik dacht er maar niet aan hoeveel mensen dit nauwsluitende pak al voor mij gedragen hadden.

Het rif was adembenemend. Sommige delen van het koraal

waren meer dan achthonderd jaar oud, hoewel het, net als de wetsuits van lycra, niet zo kleurig en maagdelijk oogde als in de brochure. 'Met koraal is het net als met mensen,' vertelde de zeebioloog. 'Tien procent is heel mooi en de rest is gewoontjes. Alleen de tien procent die mooi is wordt voor de tijdschriften gefotografeerd.'

De schildpadden vormden het hoogtepunt; grote prachtige dingen die om ons heen zweefden en high werden van zeegras. Ik zei tegen een van de schildpadden dat ik op het punt stond mijn baan te verliezen, en het enige wat hij zei was: 'Maak je niet druk, man.' Maar schildpadden maken zich helemaal nergens druk over. Het duurt vijftig jaar voordat ze geslachtsrijp zijn. Als ik hen was, zou ik er vast een stuk geagiteerder uitzien.

De boot kwam wat later terug van het rif, dus ik belde twintig minuten te laat om in te schakelen op de telefonische vergadering. Ik kreeg alleen het eind van de mededeling mee, waarin de bazen op het hoofdkantoor ons vertelden dat er nog geen beslissingen waren genomen over onze toekomst en dat we de komende achtenveertig uur gewoon moesten doorgaan met onze klanten zo goed mogelijk van dienst zijn. Tegen die tijd hadden zij alle opties doorgenomen en zouden ze zich weer bij ons melden met een besluit over de toekomst van het bedrijf.

Ik zat op het balkon van onze hotelkamer aan een margarita te nippen en naar mijn collega's op kantoor te luisteren, die nutteloze vragen stelden aan het management. Sommigen klonken boos en agressief, anderen nog hoopvol. Het ergste was een van de populaire consultants, die verbijsterd klonk, alsof hij in shock was. Zijn bravoure had plaatsgemaakt voor wanhoop – een hulpeloze man die geconfronteerd wordt met het vooruitzicht dat hij werkloos wordt en zijn hypotheek niet meer kan betalen. Ik kon het bijna niet aanhoren.

Een andere consultant ging tekeer dat de situatie niet goed genoeg was en dat we wel met wat meer respect behandeld mochten worden na al die jaren van toewijding.

Emma drukte op de knop waarmee ze het geluid uitschakelde en zei: 'Wat zijn die collega's van jou naïef. De directeuren kletsen maar wat uit hun nek. Die interesseert het geen ruk wat er met jullie gebeurt. Jullie zijn gewoon een probleem dat ze uit de wereld moeten helpen voordat jullie allemaal wild om je heen gaan slaan.'

Ze had gelijk. We stonden allemaal op het punt om de laan uit gestuurd en vergeten te worden; net als die arme sukkels die een paar weken geleden waren ontslagen omdat ze hun targets niet hadden gehaald. Hoe heetten die ook alweer?

De directeur probeerde iedereen te kalmeren door te zeggen dat ze dag en nacht zouden werken om alle opties onder de loep te nemen. Toen het uit de hand dreigde te lopen, zei hij dat ze met nog een potentiële koper in gesprek waren, maar om commerciële redenen kon hij daar op dit moment verder nog niks over zeggen. In mijn oren klonk dat als een leugen; hij probeerde gewoon iedereen te sussen. Maar Garry vatte het heel anders op.

'Bedoelt u te zeggen dat er nog een partij bij betrokken is en dat u me daar niets over hebt verteld?' bulderde Garry in de telefoon. 'Als hoofd van deze organisatie vind ik dat onacceptabel.' Ik hoorde hoe woedend hij was en begon medelijden met hem te krijgen. 'Ik heb dag en nacht gewerkt om er voor iedereen het beste uit te slepen en dan krijg ik nu te horen dat u dingen achter mijn rug om hebt gedaan. Dat is voor mij volstrekt onacceptabel.' Ik hoorde een vuist op een bureau neerkomen, stoelen verschuiven, en toen werd het gesprek snel beëindigd. Het enige wat we nu nog konden doen was wachten – en iets voor onze klanten betekenen natuurlijk.

In het begin van mijn carrière beschouwde ik mijn relatie tot het bedrijf waarvoor ik werkte als een familieband. Ik was loyaal en goed van vertrouwen, en op hun beurt zouden zij dan loyaal tegenover mij zijn. Als ze zeiden dat ik gewaardeerd werd, geloofde ik dat, en ik deed stomme dingen, zoals elk weekend werken en 's nachts liggen woelen en me zorgen maken over deadlines. Ik stelde zelfs mijn plan om in Europa te gaan werken uit, zeer tegen de zin van mijn toenmalige vriendje, die al ontslag had genomen, omdat mijn bedrijf me 'nodig had' en ik tot het eind van het project moest blijven.

Tegenwoordig ben ik een stuk cynischer en vermoeider, met het gevolg dat ik helemaal niet verbaasd was over de manier waarop het management met ons omging. Maar een paar collega's van me hadden hun hele leven bij dit bedrijf gewerkt; ze waren er vers van de universiteit gekomen en hadden zich door plichtsgetrouwheid langzaam en gestaag opgewerkt. Ik was bang dat sommigen van hen nog steeds in de fantasie van het bedrijf als één grote familie geloofden. Arme sukkels. Stel je voor dat je je hele leven aan een organisatie wijdt, om vervolgens tot de ontdekking te komen dat je gewoon een onderpand bij een transactie bent en dat je, wat je ook hebt bereikt, wat je ook hebt opgeofferd, hoe ijverig je ook bent geweest, net zo gemakkelijk wordt afgedankt als ieder ander. Het was prostitutie met je kleren aan.

Er is een bedrijf in IT-consultancy dat niet eens meer de moeite neemt om te doen alsof ze hun personeel als individuen waarderen en hen 'tokens' noemt in plaats van 'werknemers'. Toen ik dat voor het eerst hoorde, was ik ontdaan. Nu moet ik ze nageven dat ze in elk geval eerlijk en rechtdoorzee zijn.

De eerste keer dat ik me realiseerde dat bedrijven niet om hun personeel geven was toen ik moederziel alleen in een vies, morsig Chinees ziekenhuis lag. Ik werkte in die tijd voor een departement van de overheid en was in Hongkong voor een conferentie, waar ik een hardnekkige voedselvergiftiging opliep. Op de tweede dag van de conferentie ging ik terug naar mijn hotelkamer, omdat ik me een beetje slap voelde. Ik dacht dat ik wel weer in orde zou zijn als ik een paar uur ging liggen en een kopje thee dronk. Na een minuut of tien begon ik over te geven, en dat hield maar niet op. Ik pakte mijn kussen en ging de rest van de avond naast de wc liggen. Ik had op dat moment nog geen idee hoe ernstig ik eraan toe was. Het was niet in me opgekomen dat ik het aan iemand moest vertellen of dat ik misschien naar een dokter moest.

Een paar uur later kwam mijn baas naar mijn hotelkamer om een universeelstekker te lenen. Ik probeerde op te staan, maar dat lukte niet, dus kroop ik naar de deur om haar binnen te laten. Meer herinner ik me niet. Ik werd wakker in een ziekenhuisbed, vanwaar ik opkeek naar een vrouw die met een gestoorde blik in haar ogen en een scalpel in de hand over me heen gebogen stond. Ze schreeuwde iets tegen me in het Chinees en zwaaide met het scherpe, puntige lemmet naar me. Twee mensen in witte jas snelden toe, werkten haar tegen de grond, deden haar in een dwangbuis en voerden haar af.

Ik werd aan mijn lot overgelaten en vroeg me af wat er in godsnaam gaande was. Ik ging rechtop zitten en keek om me heen. Het was donker, maar ik zag wel dat ik op een zaal lag met twee Chinese mannen – en ik zweer dat ze er allebei uitzagen alsof ze tweehonderd jaar oud waren. Over de wachtkamer van de hemel gesproken.

Verder was er niemand, dus ik begon te roepen. Niks. Ik riep weer. Niemand. Ik was inmiddels behoorlijk overstuur, dus ik stapte uit bed om op onderzoek uit te gaan. Na een paar stappen viel ik flauw – later kwam ik erachter dat dat door mijn lage bloeddruk kwam. Toen ik weer bij bewustzijn kwam, probeerde ik op te staan, maar dat lukte niet. Ik riep om hulp, maar weer kwam er niemand, dus bleef ik opgekruld op de vloer liggen huilen totdat ik op een gegeven moment een patiënt door de gang zag lopen. Ze praatte in zichzelf en wrong in haar handen. Ik wist dat ze gek was, maar ze leek me op dat moment toch mijn enige keus. Ik wees op mijn lege bed en stak mijn handen omhoog ten teken dat ze me moest helpen. We wankelden samen terug naar het bed en ze keek toe hoe ik weer tussen de lakens kroop. Toen stak ze haar hand uit en veegde voorzichtig een traan weg die over mijn wang liep. Ze draaide zich om, liep weg en hervatte het gesprek dat ze met zichzelf gevoerd had.

Ik ben waarschijnlijk in slaap gevallen, want het volgende moment was het klaarlichte dag en zag ik mijn baas naast me, die bezorgd op me neerkeek. Ze had een vertrouwd gezicht meegenomen. Ashley was de flatgenoot van mijn toenmalige vriendje en ook aanwezig op de conferentie. Ze vertelden me dat ik in allerijl naar het dichtstbijzijnde ziekenhuis was gebracht, dat toevallig een liefdadigheidsziekenhuis bleek te zijn. Het was er donker, smoezelig, armoedig en verwaarloosd. Om het nog erger te maken, stond het enige bed dat ze vrij hadden op de afdeling Psychiatrie. Ze beloofden dat ze met onze collega's op de ambassade zouden gaan praten om me onmiddellijk naar een beter ziekenhuis over te brengen. In de tussentijd moest ik rusten totdat mijn bloeddruk weer normaal was. De dokter verzekerde me dat dit binnen vierentwintig uur het geval zou zijn. De vierentwintig uur werden er achtenveertig, werden er tweeënzeventig enzovoort. Drie dagen later lag ik nog steeds in dat godvergeten ziekenhuis. Mijn collega's kwamen elke dag bij me op bezoek en elke dag verontschuldigden ze zich ervoor dat ze me nog niet naar een beter ziekenhuis hadden weten over te plaatsen. Het probleem was dat de algemeen directeur in de stad was en dat iedereen het zo druk had met voor hem te zorgen dat ze geen tijd meer hadden om mij te helpen. Op de vierde dag was de conferentie afgelopen en ging iedereen terug naar huis, behalve Ashley, die zei dat ze bij me bleef om op me te letten. Ik lag al zes dagen in dat gruwelijke ziekenhuis. In die tijd had ik beide mannen naast me zien sterven, had ik het gebruik van de beddenpan onder de knie gekregen en een infectie opgelopen, vermoedelijk van een vuile naald.

Er was nog steeds niemand van de ambassade te bekennen, dus toen ik eindelijk het ziekenhuis uit mocht, kreeg ik een rekening en zeiden ze dat ik mijn paspoort pas terugkreeg als die betaald was. Ashley en ik dwaalden door allerlei achterafstraatjes van Hongkong op zoek naar een pinautomaat. Ik was nog zwak en stond onvast op mijn benen, en ik moest zowel van mijn creditcard als van die van Ashley het maximale bedrag opnemen om de rekening te kunnen voldoen. Tot op de dag van vandaag ben ik Ashley heel dankbaar dat ze bij me gebleven is.

De infectie van de vuile naald werd verholpen met een antibioticakuur, maar het had veel erger kunnen aflopen. Het kwam erop neer dat het bedrijf waarvoor ik werkte mij in een levensbedreigende situatie had gebracht, en me daar ook in had gehouden, en dat iedereen het te druk had met eten en drinken met de algemeen directeur om mij in het ziekenhuis te komen opzoeken, me naar een ander ziekenhuis over te plaatsen of zelfs maar de rekening te betalen.

Deze ervaring heeft mij twee dingen geleerd: nooit van een bedrijf verwachten dat ze voor je zorgen, en als je op reis bent bij elke maaltijd whisky drinken om voedselvergiftiging te voorkomen. Ik heb deze strategie sindsdien bij elke trip overzee toegepast en ben nooit meer ziek geworden. Ik kan het van harte aanbevelen.

36

Mijn betrokkenheid terug

Garry was vertrokken. Bij de telefonische vergadering van achtenveertig uur later bleek de kapitein het zinkende schip al verlaten te hebben.

Er was trouwens nog steeds geen nieuws. De managers van het hoofdkantoor hielden blijkbaar nog steeds alle opties open en zouden nog weer eens achtenveertig uur later bij ons terugkomen. Iemand had om een definitieve tijdslimiet gevraagd waarop ze hun besluit genomen zouden hebben en aan het personeel kenbaar zouden maken. De bekrompen baas van het hoofdkantoor die de vergadering voorzat zei dat volgende week zijn vrouw jarig was en dat hij dan iets leuks wilde gaan doen, dus dat hij dan alles wel afgerond wilde hebben.

Wat een hufter. Hier zaten mensen in de geweerloop van achterstallige betalingen op hun hypotheek te kijken en hij vond de verjaardag van zijn vrouw belangrijker. Ik was met stomheid geslagen over zo'n apert gebrek aan inlevingsvermogen. Ik weet dat ik er niet vreemd van had moeten opkijken, maar ik schrok er toch van.

Een paar van mijn collega's hoopten nog dat er een andere koper gevonden zou worden en dat hun baan veilig zou worden gesteld. Diep in mijn hart wist ik zeker dat er helemaal geen andere koper was. Er werd alleen maar tijd gerekt. Het management rekte tijd om hun bekendmaking zorgvuldig te kunnen plannen en de afvloeiingsregeling in orde te maken. Dus bereidde ik me maar alvast voor op het ergste.

Terwijl ik mijn dossiers op orde bracht en een kopie van mijn zakelijke contacten maakte, belde Annabel de headhunter weer. ABC Company had zijn beleid veranderd en besloten mij de baan op parttimebasis aan te bieden. Ik zou een halfjaar lang drie dagen per week mogen werken. Na een halfjaar zouden ze de regeling opnieuw beoordelen om te kijken of die een succes was. Annabel zei: 'Je moet wel een erg goede indruk gemaakt hebben, want ze hebben nog nooit eerder iemand op parttimebasis aangenomen.'

Toen ik met de HR-directeur van ABC Company sprak om te zeggen dat ik de baan nam, feliciteerde hij me ermee dat ik een precedent voor flexibel werken had geschapen. Vrouwen die voorheen fulltime werkten mochten nu als ze terugkwamen van zwangerschapsverlof parttime werken, maar ik was de eerste die ze van begin af aan als parttimer hadden aangenomen.

Ik was trots op mezelf. Ik had het beleid van een organisatie weten te veranderen en bij een multinational een precedent geschapen. Ik had het gevoel dat ik voor alle andere vrouwen een doelpunt had gescoord. En toen wist ik plotseling hoe ik andere mensen met mijn schrijven kon helpen. Ik kon een boek schrijven over hoe het was om er als dertiger schoon genoeg van te hebben.

Ik was nog steeds over mijn schrijfplannen aan het nadenken toen de bijl viel. Ik had gelijk gehad, er was geen andere koper. Het management had de extra tijd blijkbaar nodig gehad om uit te vogelen hoe men zo min mogelijk aan ontslaguitkeringen hoefde te betalen. Twee weken salaris voor elk jaar dat je gewerkt had, met een maximum van zes weken, met meer kwamen ze niet over de brug. Margaret, het hoofd van de administratie, had na dertig jaar trouwe dienst slechts recht op een magere zes weken salaris.

De financiële compensatie was niet alleen karig en vrekkig, dat gold ook voor de manier waarop de sluiting bekend werd gemaakt. De managers pakten het heel klinisch aan: ze toonden geen inlevingsvermogen, geen spijt, geen mededogen. Het was de meest onceremoniële gebeurtenis die ik ooit had meegemaakt. Toen ik een manager hoorde zeggen: 'Het is niet persoonlijk, het is zakelijk' was de maat voor mij echt vol. Ik begrijp dat bedrijven moeilijke beslissingen moeten nemen, maar hoe was het in godsnaam mogelijk dat hij niet begreep dat de consequenties van zijn zakelijke beslissing wel degelijk heel erg persoonlijk waren. Ik vroeg me af hoe die man 's nachts nog een oog dichtdeed.

Aan slapeloze nachten was wat mij betrof geen gebrek. Ik voelde me veel te schuldig om te kunnen slapen; schuldig dat het leven van alle anderen overhoop lag, terwijl het leven mij voor het eerst in tijden weer toelachte. Ik kon mijn geluk niet op dat ik drie dagen mocht gaan werken voor een bedrijf dat me nog interessant leek ook en dat ik twee dagen kon besteden aan het schrijven van iets wat er in mijn ogen toe deed.

Ik ben één dag werkloos geweest en toen begon ik aan mijn nieuwe baan bij ABC Company. In mijn eerste week nam mijn baas me mee uit lunchen om me bij het bedrijf welkom te heten. Hij informeerde naar mijn schrijfwerk en ik vertelde dat ik wel langer dan een halfjaar voor het boek nodig dacht te hebben. Tot mijn verbazing en blijdschap zei hij dat hij me, als ik na dat halfjaar parttime wilde blijven werken, zou steunen. 'Het gaat er mij in de eerste plaats om dat je gelukkig bent. Want als jij gelukkig bent, werk je beter,' zei hij.

En weet je wat? Hij had nog gelijk ook.

Plotseling vond ik het helemaal niet erg meer om naar mijn werk te gaan. Dat ik er klaar mee was, was verleden tijd. Dat kwam deels doordat ik nog steeds in de wittebroodsweken van een nieuwe baan zat, maar vooral ook doordat ik het gevonden had. Ik had datgene gevonden waar ik bijna een jaar naar op zoek was geweest. Ik had mijn betrokkenheid weer terug.

En Emma ook, verbazingwekkend genoeg.

Het duurde even voordat ik het merkte – deels doordat ik helemaal gefocust was op de veranderingen die in mijn leven gaande waren, maar deels ook doordat ik het niet verwachtte. Maar op een dag drong tot me door dat Emma niet kwaad meer was. Ze was kalm en tevreden en in plaats van mij te bellen om over haar werk te kankeren, vertelde ze nu over haar werk alsof het haar interesseerde, alsof het haar aan haar hart ging.

Op een ochtend vroeg ik haar bij de koffie: 'Heb je vrede gevonden in je ontevredenheid?'

Ze dacht er even over na en zei toen: 'Nu ik er eens goed over nadenk, geloof ik dat ik niet meer ontevreden ben.'

Emma was wel teleurgesteld dat haar managementbuy-out niet was doorgegaan, maar ze was tot het besef gekomen dat ze nog steeds enthousiast kon worden over haar werk. 'Ik dacht dat ik dat enthousiasme voor altijd kwijt was,' zei ze. 'Maar toen ik met die buy-out bezig was, kwam het weer terug, en dat was heerlijk.'

De wetenschap dat haar enthousiasme voor haar werk niet voorgoed verdwenen was, was genoeg om uit haar depressieve toestand te raken en niet meer te denken dat haar werk een en al ellende was. Ze houdt niet meer zo veel van haar werk als ze deed toen ze twintiger was, maar alles wat haar niet bevalt kan ze verdragen doordat ze iets heeft om naar uit te kijken en naartoe te werken, namelijk de volgende kans om een eigen bedrijf te beginnen.

Emma weet niet wanneer die gelegenheid zich aandient of hoe die eruit zal zien, maar ze heeft besloten dit werk te blijven doen totdat het zover is. 'Ik vind het niet erg om op de volgende kans te moeten wachten,' zei ze. 'Ik gebruik deze tijd namelijk om me er goed op voor te bereiden.' Emma is flink aan het sparen, zodat ze de volgende keer meer te investeren heeft, en ze probeert ook zo veel mogelijk kennis op te doen over hoe je een eigen bedrijf moet runnen.

'Ik weet nu wat ik wil doen, maar ik wil het niet half doen,' zei ze. 'Ik ben bereid om geduld te hebben, en in de tussentijd parasiteer ik zo veel mogelijk op mijn baan. Dat kan ik wel verenigen met de wetenschap dat ik daar toch maar een gebruiksartikel ben. Ik beschouw mijn werk nu als iets waar ik voordeel mee kan behalen. Ik kan mijn domme fouten nu op kosten van iemand anders maken.' Emma heeft zelfs aangegeven dat ze wel promotie wil, zodat ze meer ervaring kan opdoen.

Ik bedacht laatst dat er in Emma's dagelijks leven niets veranderd is, ondanks haar kersverse optimisme. Ze gaat nog steeds naar hetzelfde kantoor, doet hetzelfde werk en moet dezelfde stomkoppen verdragen. Maar op de een of andere manier is alles anders. Zodra Emma erachter was wat ze echt wilde en ze het gevoel had dat ze op weg was om dat te bereiken, was ze weer gelukkig. Het feit dat ze het nog niet voor elkaar heeft lijkt er niet toe te doen. 'Misschien bestaat het antwoord er wel voor negentig procent uit dat je weet wat je wilt,' zei Emma. 'Dat ik nu weet wat ik wil geeft me rust, en dat is blijkbaar genoeg.'

Emma heeft een keuze gemaakt over wat het volgende pad in haar leven zal zijn, en daarmee heeft ze nog een paar hokjes aan haar lijst toegevoegd die nog niet zijn afgevinkt. En dat was het hele verschil.

37

Mijn kindje

Ik had mijn ongrijpbare kindje gevonden – iets om over na te denken, om van te houden en om te koesteren. Een heerlijker gevoel bestond er niet.

Ik was binnen de kortste keren aan mijn parttime-inkomen gewend. Ik kan in alle eerlijkheid zeggen dat ik het na een paar maanden niet eens meer merkte. Susan Maushart heeft het in *What Women Want Next* over onderzoek naar genderrollen, waaruit blijkt dat vrouwen niet alleen minder geld verdienen dan mannen, maar vaak ook met minder tevreden zijn. Ik weet niet of het iets typisch vrouwelijks was of gewoon een kwestie van wennen, maar ik had me al zo volledig aan mijn nieuwe bestedingspatroon aangepast dat ik niet het gevoel had dat ik tekortkwam. Maushart schreef: 'De belangrijkste positieve gebeurtenissen in ons leven die aan een oprecht gevoel van welbevinden bijdragen zijn met elk budget bijna bespottelijk gemakkelijk te verkrijgen: de basisgenoegens van eten, drinken, slapen en seks; en relaties met vrienden.' Ze had gelijk. Ik had nog steeds het gevoel dat ik genoeg geld had om alles te kopen wat ik nodig had en wilde hebben én ik had twee dagen per week de tijd om te schrijven. Het voelde als een sprookje: drie dagen per week om mijn beurs te spekken en twee dagen om mijn ziel te verrijken. Ik kon bijna niet geloven dat ik dat voor elkaar gekregen had.

Mijn vriend Troy, die een kei is in dubieuze complimentjes maken, zei: 'Ongelooflijk zoals jij erin geslaagd bent de boel op de rails te krijgen. Toen ik je pas kende, was je een rampenplan. Nu heb je het helemaal voor elkaar.'

Toen ik op een dag naar mijn werk ging, drong plotseling tot me door dat ik me niet meer verveelde – zelfs niet op mijn werk. Ik hoopte niet meer dat er een bommelding zou komen of dat in de leidingen van de airconditioning de veteranenziekte ontdekt zou worden, zodat ik naar huis kon. Ik vond het niet meer erg om naar mijn werk te gaan. Maar dat niet alleen, nee, ik realiseerde me ook dat mijn werk iets belangrijks aan mijn leven toevoegde.

Als extravert persoon had ik de dingen nodig die mijn werk me verschafte. Ik had het contact en de feedback van werken in teamverband nodig, de zekerheid van een regelmatig inkomen en de structuur van een werkdag.

Begrijp me niet verkeerd: ik hou niet van mijn werk – niet zoals ik deed toen ik twintiger was. Maar ik hoef ook niet meer van mijn werk te houden om gelukkig te zijn en dat is voor mij een hele verandering. Net als bij Richard, de consultant annex reddingswerker, zijn er nu andere dingen in mijn leven die me verrijken, zodat ik de verwachtingen over wat mijn werk me zal opleveren een beetje naar beneden heb kunnen bijstellen. Werk is maar één ingrediënt in mijn gelukkige, voldoening schenkende leven. Ik heb werk nodig om lekker te kunnen schrijven en ik heb schrijven nodig om lekker te kunnen werken.

Toen Garry, mijn voormalige baas, me belde om me een baan bij zijn nieuwe bedrijf aan te bieden, had ik het gevoel dat ik op de proef werd gesteld. Hij beloofde me een razendsnelle carrière en zei dat ik binnen drie jaar tot partner kon opklimmen, waarbij ik achthonderdduizend dollar per jaar zou verdienen, maar dan moest ik wel fulltime werken. Ik hoorde de woorden 'opklimmen' en 'meer geld' en voelde het sluimerende vlammetje van mijn ambitie weer oplaaien. Het was een soort onwillekeurige reflex. Ik denk dat er gewoon niet te ontkomen valt aan al die jaren waarin ik geconditioneerd ben. Maar toen dacht ik: waarom zou ik? Waarom zou ik willen opklimmen? Waarom zou ik meer geld willen? Waarom zou ik mijn nieuw verworven evenwicht, geluk en creativiteit weggooien? Had ik het afgelopen jaar dan helemaal niets geleerd?

Ik zei 'nee, bedankt' en Garry zei dat ik gek was. 'Zo veel ga je met boeken schrijven niet verdienen,' zei hij. Ik zei dat ik uit liefde schreef, en niet om geld, en hij lachte en zei: 'De Kasey Edwards die ik ken doet niks als het niet voor geld is. Denk er eens goed over na, meid: van achthonderdduizend dollar kun je heel wat lingerie kopen.'

Garry was een enge, gestoorde vrouwenhater, en ik geloofde geen seconde dat ik over drie jaar zo veel geld zou verdienen. Maar dat deed er trouwens niet eens toe. Ik had nog nooit eerder zo'n rijk leven gehad.

38

Het antwoord

Ik haat dit soort hoofdstukken: hoofdstukken waarin ze de magische formule wel eens voor je zullen opsommen, om al je problemen in tien gemakkelijke stappen op te lossen. Maar boeken zonder zo'n slothoofdstuk vind ik nog erger dan boeken met zo'n slothoofdstuk. Als je ook maar een klein beetje op me lijkt ben je nadat je de inleiding had gelezen al naar dit hoofdstuk gebladerd, of misschien halverwege de inleiding al. Ik weet niet hoeveel slothoofdstukken van zelfhulpboeken ik al heb opgeslagen in de hoop er 'het antwoord' te vinden. Maar pas toen ik klaar was met mijn eigen boek, realiseerde ik me dat 'het antwoord' niet iets is wat je in een boek kunt lezen, van een goeroe kunt horen of met een pil kunt binnenkrijgen. Zolang je naar iets dergelijks op zoek bent, zul je het nooit vinden.

Ik ga nu het grootste cliché opschrijven dat er bestaat. Als ik het afgelopen jaar van mijn leven overzie en aan alle dingen denk die ik geleerd heb tijdens het proces waarbij ik mijn betrokkenheid kwijtraakte en weer terugvond, vat dit cliché alles aardig samen. Zet u schrap, want daar komt ie... Het gaat om de weg ernaartoe.

Gatver. Niet te geloven dat ik dat op papier gekregen heb. Als je het boek nog niet walgend hebt dichtgeslagen, zal ik het nu proberen uit te leggen. Ik moest ontevreden en gefrustreerd zijn, totdat ik het niet meer kon verdragen. In de consultancy praten we over mensen die een dwingende reden nodig hebben om te veranderen. We gebruiken de analogie van een Bunsen-brander en zeggen dan dat als de vlam geel is, mensen niet boos genoeg zijn om te veranderen. We moeten wachten tot de vlam blauw of wit wordt, en dan komt er pas echt schot in de zaak. Ik moest er eerst echt verschrikkelijk schoon genoeg van hebben voordat ik in staat was me ervan los te maken.

Deze kwestie wordt wat eleganter geïllustreerd in het verhaal over het meisje en een vlinder. Het gaat als volgt. Een meisje zag hoe een vlinder uit zijn cocon probeerde te breken. Ze zag de vlinder worstelen tegen zijn zijden omhulsel. Hij leek vorderingen te boeken door een deel van zijn vleugel uit de cocon te wurmen, maar toen schoot die weer terug naar binnen. Het meisje wilde de vlinder helpen, dus pakte ze een schaar en knipte de cocon open. De vlinder tuimelde eruit en landde op de grond. En daar bleef hij liggen. Hij probeerde zijn vleugels te spreiden, maar dat lukte niet. Hij lag op de grond, bleef daar liggen en ging dood.

Vlinders moeten enorm hun best doen om uit de cocon te komen, en dat duurt even. Maar ze moeten ook tegen het omhulsel van zijde vechten om zo te leren hoe ze hun vleugels moeten gebruiken. Zonder die strijd, hun eigen hoogstpersoonlijke strijd in hun eigen tijd, zullen ze nooit kunnen vliegen.

Het duurde bij mij bijna een jaar voordat ik me uit de cocon los had geworsteld. Het vreemde is dat mij in de eerste maand van mijn zoektocht al het antwoord werd aangereikt. Mijn vriend Godfrey zei dat ik een kindje nodig had en dat schrijven dat kindje was. Hij had gelijk, maar ik had nog elf maanden ontdekken, nadenken en budgetteren nodig voordat ik zijn advies ter harte kon nemen. Het antwoord moest uit mijzelf komen.

Toen ik Caroline, de levenscoach, vroeg wat voor advies zij aan mensen in mijn situatie zou geven, zei ze: 'Je weet wel beter, Kasey. Het is niet aan mij om advies te geven. Alle kennis die je nodig hebt bevindt zich in ieder mens zelf. Soms hebben ze alleen iemand nodig die met een zaklantaarn in het duister schijnt, zodat ze het kunnen zien.'

Net zoals mijn cocon niet door iemand anders opengeknipt kon worden, zo zou ik ook die van een ander niet proberen open te knippen. Ik kan alleen maar hopen dat mijn verhaal als een schijnwerper werkt of een glimpje hoop geeft aan een andere dertiger die er ook helemaal klaar mee is.

Emma en ik begonnen ons verhaal op dezelfde plek, maar onze reis is voor ons allebei anders verlopen, en we hebben ook allebei een ander antwoord gevonden. Maar onderweg hebben we ons getroost en geïnspireerd gevoeld door de wijsheid van andere mensen en de steun bij elkaar. Dus overeenkomstig de formule van dit soort boeken heb ik een lijst met tien dingen opgesteld die ik het afgelopen jaar heb geleerd en waar jij misschien ook wat aan hebt.

1. Al je gelukseieren in het carrièremandje leggen is vragen om problemen. Mensen die heel gelukkig zijn met hun baan denken of niet na over waar ze mee bezig zijn en waarom, of ze hebben heel lage verwachtingen van wat werk aan hun leven zal bijdragen. John Stuart Mill zei in zijn boek *Utalitarism* dat het 'belangrijk was om niet meer van het leven te verwachten dan wat het je kan geven'. Hetzelfde geldt voor onze baan. Een baan zal nooit in onze behoeften op het gebied van relaties voorzien, het ligt niet voor de hand dat we erdoor ver-

bonden raken met de buurt waarin we wonen en als het een bron van vriendschap is moeten we duidelijk zijn over het verschil tussen vriendschap en netwerkcollega's. Betekenis en vervulling kun je uit veel aspecten van het leven halen. Werk is maar één ingrediënt van een gelukkig leven.

2. Relaties, hobby's en je authenticiteit inruilen voor een baan met een hoog salaris, een hoge status en hoge stress is de snelste manier om ongelukkig te worden.

3. Werken is misschien niet de snelste weg naar gelukkig zijn, maar niet-werken is wel de snelste weg naar ongelukkig zijn. Van plezier en vrijheid alleen kun je niet leven. In plaats van over niet-werken te fantaseren, kun je je tijd beter besteden aan het zoeken van iets betekenisvols.

4. We hebben allemaal een kindje nodig. We hebben iets nodig om van te houden, iets wat groter is dan wijzelf, iets wat we kunnen koesteren, kunnen laten groeien en waar we in kunnen investeren.

5. Het is niet te laat om een ander pad in te slaan. De mensen die er oprecht in geloven dat het leven vol mogelijkheden zit zijn veel gelukkiger in hun werk dan mensen die dat niet geloven. We hoeven geen baan of carrière voor het leven te zoeken. Iets wat ons nu gelukkig maakt is mooi genoeg.

6. We hoeven niet alle vaardigheden die we ontwikkeld hebben en alle ervaring die we hebben opgedaan over-

boord te zetten louter en alleen omdat we ontevreden zijn met ons werk. We moeten uitzoeken welke dingen we kunnen behouden en kunnen vertalen naar iets nieuws.

7. Als we iets in ons leven willen veranderen moeten we dat niet uitstellen omdat we wachten tot de beste gelegenheid zich aandient. Soms is actie, wat voor actie ook, beter dan niets doen.

8. Zodra we de stekker uit de matrix hebben getrokken is het bijna onmogelijk hem er weer in te doen. Als je er als dertiger helemaal klaar mee bent, gaat dat niet zomaar over. Gebruik de crisis om jezelf ertoe aan te zetten je eigen antwoorden te zoeken en je eigen geluk te vinden.

9. Je weet het meteen als je je betrokkenheid weer terug hebt, want dan voel je je energiek en optimistisch. Je werkt hard, maar het voelt niet als hard werken. Verwacht niet dat je je betrokkenheid meteen terugvindt; voor de reis is tijd nodig. En als je die eenmaal gevonden hebt, denk dan niet dat het voor altijd is. Ik heb van mediteren geleerd dat alles in het leven van voorbijgaande aard is, dus moet je genieten van de dingen zolang ze er zijn en dan weer verdergaan.

10. De dertigerscrisis is vreselijk, maar eigenlijk vormt hij ook een positieve mijlpaal in ons leven. Hij dwingt ons pas op de plaats te maken, diep adem te halen en onszelf af te vragen wat belangrijk voor ons is en wat we van het leven verwachten. Het is een veiligheidsklep die voorkomt dat we plotseling oud zijn en ons afvragen waar we

het in hemelsnaam allemaal voor gedaan hebben. Zoals mijn broer Michael al zei: soms hebben we gewoon een afranseling nodig.